Gerunds

Conjunctions

Easy, Simple, but **EXACT**!

Infinitives

Prepositions

Adjectives & Adverbs

Verbs

**writing**으로 잡아 주는 기초 영문법

# Grammar tab²

TOPIA

# *Grammar tab*이란?

tab은 '큰 천이나 쇠의 작은 조각 혹은 덩어리'라는 의미를 갖는 영단어입니다. 우리에게 익숙한 의미로는 컴퓨터 키보드의 '탭 키'라는 의미가 있지요. Grammar tab은 문법을 tab 단위로 하나씩 탭 키를 눌러 다음 tab으로 넘어가는 과정을 통해 전체 문법을 완성하는 구성입니다. 문법은 큰 그림을 이해하고 작은 것으로 쪼개며 익히는 것보다는 단위 개념을 익혀 큰 그림을 이해하는 방식으로 학습하는 것이 효과적입니다. Grammar tab만의 tab by tab 구성의 학습 효과를 직접 체험해 보세요.

| | |
|---|---|
| **Grammar tab** | **a tab**<br>= 단위 개념 + 예시 + 확인 문제<br><br>**tab 1 + tab 2**<br>= (단위 개념 + 예시 + 확인 문제) * 2 + Check up<br><br>**tab 3 + tab 4**<br>= (단위 개념 + 예시 + 확인 문제) * 2 + Check up<br><br>**Lesson**<br>= (tab 1 + tab 2 + tab 3 + tab 4) + Build up<br><br>**Part**<br>= (Lesson 1 + Lesson 2 + Lesson 3 + Lesson 4) + Review Test |
| **VS.** | |
| **일반적인 국내 문법서** | **Lesson** [Unit]<br>= (단위 개념 1 + 단위 개념 2 + 단위 개념 3 + 단위 개념 4) or (개념 혼합)<br>　+ Basic Drill + Practice<br><br>**Part** [Chapter]<br>= Lesson 1 + Lesson 2 + Lesson 3 + Lesson 4<br>책 절반이 끝난 후 Review Test + 그 다음 절반이 끝난 후 Review Test |

# tab by tab 이란?

그런데 tab by tab 구성이란 말을 처음 들어 봐서
이렇게만 보아서는 잘 이해가 안 되신다고요?

그렇다면 tab by tab 구성에 대해
좀 더 자세히 살펴볼까요?

**1** 하나의 tab은 단위 문법의 개념과 해당 문법이 적용된 예시를 보여 주고 그것을 어느 정도 이해했는지를 확인할 수 있는 문제로 구성되어 있습니다.

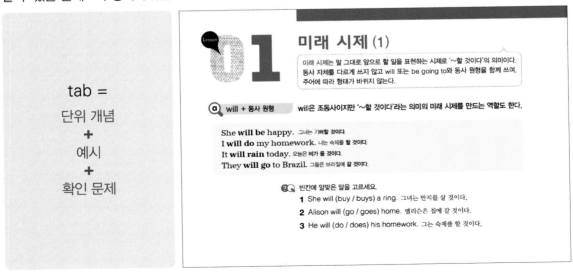

# tab by tab 이란?

**2** tab 두 개를 학습한 뒤 두 개의 단위 문법 개념을 통합하여 적용할 수 있는 능력을 기르기 위해 간단한 쓰기 연습을 합니다.

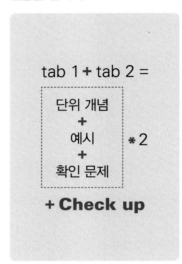

tab 1 + tab 2 =

단위 개념
+
예시
+
확인 문제    *2

**+ Check up**

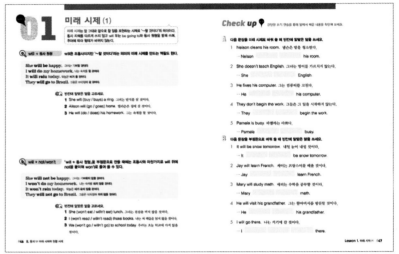

**3** 이렇게 2번 과정을 두 번 거치면 하나의 Lesson에 담긴 네 개의 tab 속 단위 문법 내용을 파악하고 적용하는 능력까지 길러집니다. tab 단위에서 tab을 두 개씩 한 번에 적용하는 연습을 마쳤으면, 이제 네 개의 tab을 통합적으로 적용하여 영어로 표현하는 능력을 확실하게 내 것으로 만드는 과정이 기다리고 있습니다. 예를 들어, 한정사 Part에서 관사 a/an을 학습하는 Lesson을 마치면, a/an의 개별 의미와 쓰임을 익혀 직접 명사와 함께 쓰는 연습을 하고 문장 속에서 어떻게 사용하는지 writing을 통해 통합적으로 이해하게 하는 과정이 더해집니다.

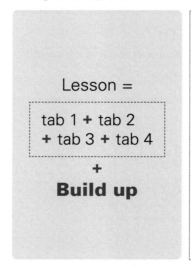

Lesson =

tab 1 + tab 2
+ tab 3 + tab 4

+
**Build up**

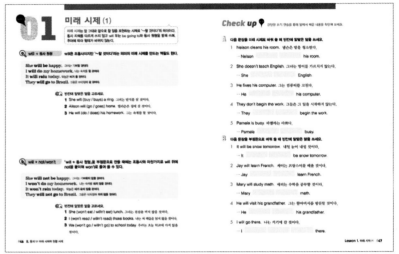

**4** 마지막으로 네 개의 Lesson을 모두 학습하고 나면 학교 내신이나 공인 영어 시험에 대한 적응력을 길러 주기 위한 Review Test가 실려 있는데, 1번부터 15번까지는 객관식 문제이고 16번부터 20번까지는 주관식 문제입니다. 학교 시험에서 NEAT까지 모두 대비할 수 있고, 실전 문제를 파트마다 접할 수 있어 실전 감각을 키우는 데도 문제 없습니다.

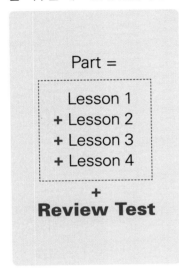

Part =

Lesson 1
+ Lesson 2
+ Lesson 3
+ Lesson 4

+
**Review Test**

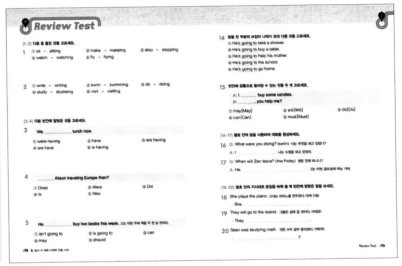

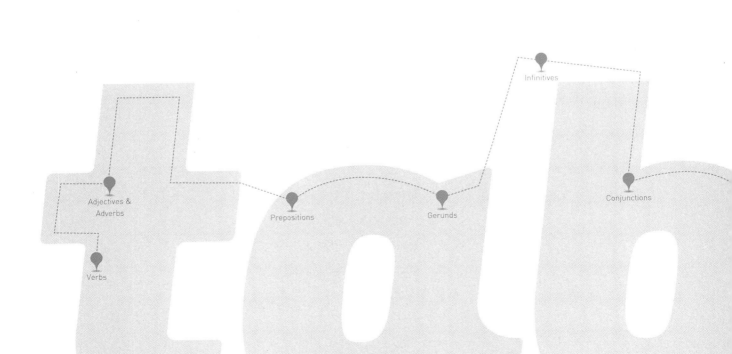

# Table of contents

Grammar tab 2
T a b l e  o f  **c o n t e n t s**

# Grammar
# tab

# Ten Must-Know Things for Grammar tab

## 문법 공부 시작 전에 꼭 알아야 하는 열 가지

**1** 문법이란 무엇인가요?

**2** 문장과 단어는 무엇인가요?

**3** 평서문, 감탄문, 명령문, 의문문은 각각 무엇을 말하나요?

**4** 품사란 무엇인가요?

**5** 명사와 대명사는 무엇인가요?

**6** 한정사는 무엇인가요?

**7** 동사와 조동사는 무엇인가요?

**8** 전치사는 무엇인가요?

**9** 주어, 목적어, 서술어는 각각 무엇을 말하나요?

**10** 문장의 형식이란 무엇인가요?

# 1 문법이란 무엇인가요?

언어는 나비나 꽃처럼 저절로 생겨난 것이 아니라 같은 지역에 사는 사람들끼리 원활한 의사소통을 위하여 약속으로 정한 것입니다. 그래서 어떠한 언어를 익히려면 그 언어를 쓰는 사람들 간의 약속을 알아야 합니다. 그 약속이 바로 문법입니다. 영어도 언어의 일종이기 때문에 영어를 쓰는 사람들 간의 약속인 문법을 알지 못하면 영어를 제대로 익힐 수 없습니다. 다시 말해, 영문법을 공부하는 목적은 영어를 제대로 익히고 쓸 수 있도록 하기 위한 것입니다. 사람들끼리 의사소통을 하기 위해 만든 약속이니 사람이 이해하기 힘들 만큼 어렵고 복잡하지 않다는 것, 잊지 마세요.

# 2 문장과 단어는 무엇인가요?

문장, 단어가 각각 무엇인지 용어 자체가 어려운가요? 예시를 보면 쉽게 알 수 있습니다. 확인해 볼까요?

**I am a student.** 나는 학생이다.          단어 + 단어 + 단어 ~ = 문장
단어

이제 이해가 되시나요? 네, 단어는 문장을 구성하는 최소한의 의미 단위이고 그 단어들이 모여 하나의 문장을 만듭니다. 이 단어들을 어떻게 구성해서 어떠한 문장을 만드느냐가 바로 언어의 약속인 문법입니다.

# 3 평서문, 감탄문, 명령문, 의문문은 각각 무엇을 말하나요?

이번에도 어려운 말들이 나왔죠? 하지만 이 말들도 위와 마찬가지로 예시를 보면 쉽게 알 수 있어요.

| | | |
|---|---|---|
| **I am a student.** | 나는 학생이다. | 평범하게 서술하는 문장 = 평서문 |
| **Wow, I am a student!** | 우아, 난 학생이야! | 깜짝 놀라며 하는 말 = 감탄문 |
| **Be a good student!** | 좋은 학생이 되어라! | 누군가에게 명령 또는 지시하는 말 = 명령문 |
| **Are you a student?** | 너 학생이니? | 상대에게 무언가를 묻는 말 = 의문문 |

우리나라에서 쓰고 있는 문법 용어들이 대부분 한자어이기 때문에 말이 약간 어려울 뿐, 사실은 있는 그대로의 의미를 전달하기 위한 말이랍니다.

# 4 품사란 무엇인가요?

품사는 영어로 Parts of Speech 또는 Word Class라고 합니다. 말을 할 때 비슷한 역할을 하는 단어들끼리 묶어 놓은 것을 의미하지요. 영어의 품사는 크게 명사, 대명사, 동사, 형용사, 부사, 전치사, 접속사, 감탄사의 여덟 가지로 분류하는 것이 일반적입니다. 이들은 각각 비슷한 역할을 하는 단어들끼리 모아 놓은 것이기 때문에, 각 품사에 대해 알면 수많은 단어들을 어느 자리에 어떻게 넣어서 말을 할지 알기 쉬워져요.

# 5 명사와 대명사는 무엇인가요?

명사는 말 그대로 무언가의 이름입니다. 컵, 자, 공책, 배용준, 김하늘 등등. 사물, 동물, 식물, 사람, 지명처럼 어떠한 대상을 부르는 이름들을 모아 놓은 것이 명사입니다. 그렇다면 대명사는 무엇일까요? 저마다 각기 원래 부르는 이름이 있지만, 그걸 일일이 구분하여 부르지 않아도 될 때, 그런데 말을 안 할 수는 없을 때, 그 자리에 대신 쓸 수 있는 것이 바로 대명사입니다.

Kim Yu-na(김연아), Park Tae-hwan(박태환), Ban Ki-moon(반기문) 이렇게 세 사람을 한꺼번에 지칭하고 싶을 때에는 they라는 대명사 하나만 쓰면 됩니다. 아주 간단해지죠? 그런데 대명사는 이렇게 간단하게 쓸 수 있는 대신 어느 자리에 쓰느냐에 따라 생김새가 달라져요. 얻는 것이 있으면 잃는 것도 있는 법이니 너무 어렵게 느낄 필요는 없습니다.

# 6 한정사는 무엇인가요?

우리말에는 없고 영어에만 있는 대표적인 것이 바로 한정사입니다. '한정'이라는 말의 뜻은 어떤 것의 범위를 제한한다는 것인데요, 한정사가 바로 그러한 역할을 합니다. 명사 앞에 한정사를 써서 그 명사의 범위를 좁혀 주는 것이지요. 앞에 언급했던 명사인지, 처음 나온 명사인지, 대략 어느 정도 수량인지 등, 한정사를 알면 명사를 더 쉽게 파악할 수 있습니다.

### **I am a student.** 나는 학생이다.
한정사

위의 문장에서 a는 student가 처음으로 말하는 것이며 한 명이라는 정보를 알려 주는 한정사입니다. 한정사가 없으면 이걸 일일이 다 설명해야 하는데, 한정사 하나로 설명이 따로 필요 없으니 편하죠?

# 7 동사와 조동사는 무엇인가요?

동사의 '동'자는 한자로 움직일 동(動)입니다. 움직임을 표현하는 품사라는 것이지요. 'I go to school.' 이라는 문장에서 I(나)가 무얼 하는지를 표현해 주는 말이 바로 동사인 go(간다)입니다.

> **I go to school.** 나는 학교에 간다.
> 동사

그런데 때로는 동사 하나만으로는 전달하고자 하는 의미가 제대로 전달되지 않을 때가 있습니다. 동사에는 '~하다'라는 의미만 있어서 우리말의 '~할 것이다, ~할 수 있다' 등의 뜻으로 표현하고 싶을 때에는 다른 말을 더 붙여야 하는데, 그 다른 말이 바로 동사의 의미를 확장해서 표현할 수 있도록 돕는 품사인 조동사입니다. 조동사의 '조'가 한자로 도울 조(助)인 이유가 바로 그것입니다.

> **I can go to school.** 나는 학교에 갈 수 있다.
> 조동사

조동사는 동사를 돕는 역할만 하기 때문에 조동사만으로는 완전한 의미 전달을 할 수 없어서 'I can to school.'처럼 동사 없이 혼자서는 쓰지 않습니다.

# 8 전치사는 무엇인가요?

전치사의 '전치'는 한자로 앞 전(前) 배치할 치(置)로 '~앞에 배치하는' 품사라는 뜻입니다. 그러면 뭐 앞에 배치하는 것일까요? 전치사는 항상 명사 앞에 배치합니다. 전치사는 명사와 함께 쓰여 명사에 방향이나 시간 등의 의미를 더해 주는 품사입니다.

> **I watch a movie on Monday.** 나는 월요일에 영화를 본다.
> 전치사

명사인 Monday는 혼자 쓰면 '월요일'이라는 뜻이지만 전치사와 함께 써서 on Monday라고 쓰면 '월요일에'라고 때를 의미하게 됩니다. 전치사 역시 조동사와 마찬가지로 혼자서는 완전한 뜻을 갖고 있지 않아서 명사 없이 전치사만 쓰지는 않습니다.

# 9 주어, 목적어, 서술어는 각각 무엇을 말하나요?

문장을 이루는 가장 작은 의미 단위는 품사이지만, 조금 더 큰 범위로 나누면 주어, 목적어, 서술어로 나눌 수 있습니다.

**I like music.**
주어 서술어 목적어

**I am a student.**
주어 서술어

**나는 음악을 좋아한다.**
주어 목적어 서술어

**나는 학생이다.**
주어 서술어

문장에서 '누가' 또는 '누구는'에 해당하는 말이 주어이고, '무엇을'에 해당하는 말이 목적어이며, '~하다'에 해당하는 말이 서술어입니다. 목적어는 필요할 경우에만 쓰고, 명령문을 제외하면 영어에서 주어와 서술어 두 가지 요소는 문장의 필수 요소입니다. 명령문도 상대에게 직접 지시하는 것이기 때문에 주어가 생략되는 것일 뿐, 사실 누구나 알 수 있는 주어가 숨어 있는 것에 지나지 않는다고 볼 수 있습니다.

# 10 문장의 형식이란 무엇인가요?

영문법에서는 1형식, 2형식, 3형식, 4형식, 5형식이라는 용어를 쓰기도 합니다. 이것은 우리말과 다른 영어의 문장 구조를 쉽게 파악할 수 있도록 정리한 것이어서 반드시 알아야 하는 것은 아니지만, 알아두면 복잡한 문장을 해석할 때 도움이 됩니다. 문장의 구성 성분을 주어, 동사, 목적어, 보어로 구분하며 1형식은 「주어 + 동사」, 2형식은 「주어 + 동사 + 보어」, 3형식은 「주어 + 동사 + 목적어」, 4형식은 「주어 + 동사 + 간접 목적어 + 직접 목적어」, 5형식은 「주어 + 동사 + 목적어 + 목적 보어」로 구성된 문장을 말합니다.

1형식  **I am in the kitchen.**  나는 부엌에 있다.

2형식  **I am a student.**  나는 학생이다.

3형식  **I like music.**  나는 음악을 좋아한다.

4형식  **I give him a gift.**  나는 그에게 선물을 준다.

5형식  **I believe him happy.**  나는 그가 행복하다고 믿는다.

이렇게 구분하는 것은 어렵고 복잡한 문장의 이해를 돕기 위한 것이지 이것 자체가 중요한 영문법의 요소는 아닙니다. 중요한 것은 문장을 이해하고 쓸 수 있도록 하는 것이지 각 형식의 이름이 무엇인지를 암기하는 것이 아니라는 것을 잊지 마세요.

# I. 동사 (2)
## 과거 시제

영어의 과거 시제와 우리말의 과거 시제는 의미와 쓰임에 차이가 있어서, 문법상 분류를 단순 과거라고 쓰기도 한다. 우리말의 과거를 영어는 단순 과거와 현재 완료로 나누어 사용하기 때문이다. 여기에서 배울 과거 시제는 '단순 과거'를 의미하는 것으로 과거의 특정한 어느 때에 일어난 일을 말할 때 쓴다.

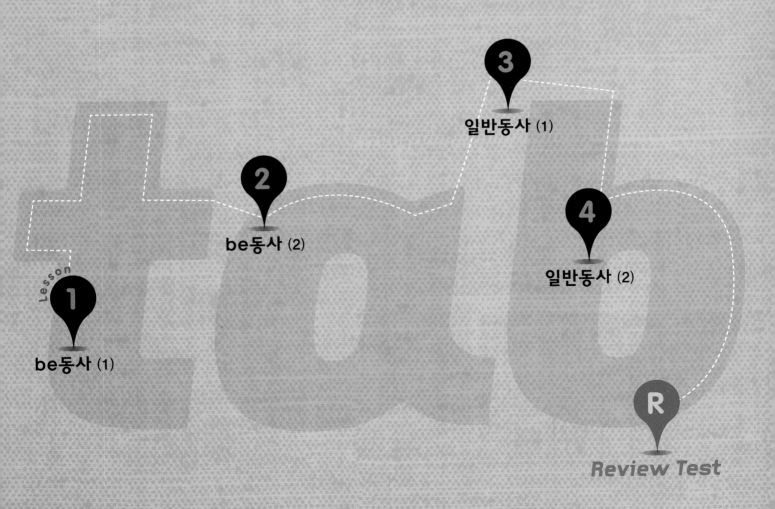

# be동사 (1)

be동사의 현재형은 am, are, is 세 가지로 구분되지만, 과거형은 was, were 두 가지이다. 현재형과 마찬가지로 주어의 인칭과 수에 따라 was 또는 were를 쓴다.

## ⓐ 긍정문 ❶ was

3인칭 단수 주어 및 대명사 I와 함께 쓰며 '~이었다', '~에 있었다', '~했다'의 의미이다.

| 함께 쓰는 주어 | 예문 |
|---|---|
| I<br>he, she, it<br>단수 명사 | **I was** a student. 나는 학생이었다.<br>**He was** in his room. 그는 그의 방에 있었다.<br>**This was** mine. 이것은 내 거였다.<br>**William was** kind. 윌리엄은 친절했다. |

**?Q** 밑줄 친 부분을 우리말로 쓰세요.

**1** She <u>was</u> a singer.  ◎  그녀는 가수_____.

**2** The box <u>was</u> on the table.  ◎  그 상자는 테이블 위에 _____.

**3** His father <u>was</u> sweet.  ◎  그의 아버지는 자상_____.

## ⓑ 긍정문 ❷ were

복수 주어 및 대명사 you와 함께 쓰며 의미는 was와 같다.

| 함께 쓰는 주어 | 예문 |
|---|---|
| you<br>we, they<br>복수 명사 | **You were** in London. 너는 런던에 있었다.<br>**We were** busy. 우리는 바빴다.<br>**Those were** in the garden. 저것들은 정원에 있었다.<br>**The babies were** cute. 그 아기들은 귀여웠다. |

**?Q** 빈칸에 알맞은 말을 쓰세요.

**1** They _____ good friends. 그들은 좋은 친구였다.

**2** Those men _____ famous. 그 남자들은 유명했다.

**3** Susan and Carol _____ in Sweden.

수전과 캐럴은 스웨덴에 있었다.

# Check up 💡 간단한 쓰기 연습을 통해 앞에서 배운 내용을 확인해 보세요.

**A** 빈칸에 was와 were 중 알맞은 것을 쓰세요.

1  Harry and I _____ fire fighters.

2  Math _____ difficult.

3  Thomas _____ in New York.

4  My mom and dad _____ good golfers.

5  She _____ an actress.

**B** 우리말에 맞도록 빈칸에 알맞은 말을 쓰세요.

1  제시와 나는 의사였다.

⇨ Jessie and I _____ doctors.

2  내 남동생은 뚱뚱했다.

⇨ My brother _____ fat.

3  너는 키가 아주 컸다.

⇨ _____ _____ so tall.

4  그것들은 뱀이었다.

⇨ _____ _____ snakes.

5  그는 패션 디자이너였다.

⇨ _____ _____ a fashion designer.

**c** 부정문 ❶ was    was 바로 뒤에 not을 붙이거나 wasn't로 줄여 쓴다.

| 긍정문 | 부정문 |
|---|---|
| **I was** a student.<br>**He was** in his room.<br>**This was** mine.<br>**William was** kind. | **I wasn't** a student.<br>**He wasn't** in his room<br>**This was not** mine.<br>**William was not** kind. |

빈칸에 알맞은 말을 쓰세요.

**1** I _____ so hungry. 나는 무척 배가 고팠다.

**2** James _____ _____ in the room. 제임스는 방에 있지 않았다.

**3** The boy _____ _____ an elementary school student.
그 소년은 초등학생이 아니었다.

**d** 부정문 ❷ were    were 바로 뒤에 not을 붙이거나 weren't로 줄여 쓴다.

| 긍정문 | 부정문 |
|---|---|
| **You were** in London.<br>**We were** busy.<br>**Those were** in the garden.<br>**The babies were** cute. | **You weren't** in London.<br>**We were not** busy.<br>**Those weren't** in the garden.<br>**The babies were not** cute. |

빈칸에 알맞은 말을 쓰세요.

**1** You _____ in the kitchen. 너는 부엌에 있지 않았다.

**2** They _____ basketball players. 그들은 농구 선수가 아니었다.

**3** She and her mom _____ _____ very sad.
그녀와 그녀의 어머니는 그리 슬프지는 않았다.

# Check up 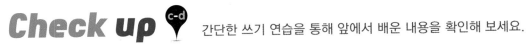 간단한 쓰기 연습을 통해 앞에서 배운 내용을 확인해 보세요.

**A** 빈칸에 알맞은 말을 쓰세요.

1  The girl _____ _____ lazy.  그 소녀는 게으르지 않았다.

2  The dog _____ thirsty.  그 개는 목이 마르지 않았다.

3  The boxes _____ so heavy.  그 상자들은 그렇게 무겁지 않았다.

4  Carol _____ my friend last year.  캐럴은 작년에는 내 친구가 아니었다.

5  John and Kevin _____ _____ middle school students.
   존과 케빈은 중학생이 아니었다.

**B** 우리말에 맞도록 빈칸에 알맞은 말을 쓰세요.

1  그 아이는 배고프지 않았다.

   ⇨ The child _____ _____ hungry.

2  그 간호사들은 친절하지 않았다.

   ⇨ The nurses _____ kind.

3  너는 월요일에 그렇게 바쁘지 않았다.

   ⇨ You _____ _____ so busy on Monday.

4  우리는 그날 밤 학교에 있지 않았다.

   ⇨ _____ _____ at school that night.

5  그들은 어제 집에 있지 않았다.

   ⇨ _____ _____ _____ at home yesterday.

## Build up

이번 Lesson에서 배운 내용을 토대로 작문 실력을 키워 보세요.

**A** 빈칸에 알맞은 말을 쓰세요.

1  I _____ very short.  나는 키가 매우 작았다.

2  They were _____ at home.  그들은 집에 있지 않았다.

3  We _____ at the subway station.  우리는 전철역에 있었다.

4  You _____ not so kind.  너는 그리 친절하지 않았다.

5  Yu-mi _____ _____ busy yesterday.  유미는 어제 바쁘지 않았다.

**B** 우리말에 맞도록 보기에서 알맞은 말을 골라 빈칸에 쓰세요.

| was | were | not | wasn't | weren't | she | they |
|-----|------|-----|--------|---------|-----|------|

1  제니는 어제 아팠다.

⇨ Jenny _____ sick yesterday.

2  프레드와 빌은 홍콩에 있지 않았다.

⇨ Fred and Bill _____ in Hong Kong .

3  그녀는 키가 그리 크지 않았다.

⇨ _____ _____ very tall.

4  그들은 그때 중학생이 아니었다.

⇨ _____ _____ _____ middle school students then.

5  저 나무는 작년에는 여기 있지 않았다.

⇨ That tree _____ _____ here last year.

**C** 괄호 안에 말을 사용하여 밑줄 친 우리말을 영어로 쓰세요.

1  Jessica <u>학생이었다</u>.  ⇨  _____  [be, a student]

2  We <u>있지 않았다</u> at home.  ⇨  _____  [be]

3  Ryu Hyeon-jin <u>뚱뚱하지 않았다</u>.  ⇨  _____  [be, fat]

4  They <u>배고프지 않았다</u>.  ⇨  _____  [be, hungry]

5  Maradona <u>매우 유명했다</u>.  ⇨  _____  [be, very famous]

**D** 긍정문은 부정문으로, 부정문은 긍정문으로 바꿔 쓰세요.

1  The children were brave.  그 아이들은 용감했다.

→ _____.

2  The computer was new.  그 컴퓨터는 새것이었다.

→ _____.

3  She wasn't so smart.  그녀는 그리 똑똑하지 않았다.

→ _____.

4  We were tired yesterday.  우리는 어제 피곤했다.

→ _____.

5  He and his dog weren't at home.  그와 그의 개는 집에 없었다.

→ _____.

# Lesson 02 be동사 (2)

1권에서 배운 것처럼 의문문은 '예/아니오'로 대답하는 단순 의문문과 구체적인 것을 지목하여 묻는 의문사를 쓰는 의문문이 있는데, 형태와 대답이 다르므로 유의하여 익혀 두자.

## ⓐ was 의문문 만들기 ❶  현재 시제와 마찬가지로 be동사 was를 제일 앞에 쓰고 주어를 쓴다.

| 질문 | 대답 |
|---|---|
| **Was I** a student last year?<br>**Was he** in his room last night?<br>**Was this** mine?<br>**Was William** kind? | **Yes, you were. / No, you weren't.**<br>**Yes, he was. / No, he wasn't.**<br>**Yes, it was. / No, it wasn't.**<br>**Yes, he was. / No, he wasn't.** |

**?Q** 빈칸에 알맞은 말을 고르세요.

**1** (He / Was) (he / was) your friend? 그는 네 친구였니?

**2** (The dog / Was) (the dog / was) cute? 그 개는 귀여웠니?

**3** (Bill / Was) (Bill / was) in the garden? 빌은 정원에 있었니?

## ⓑ was 의문문 만들기 ❷  의문사를 함께 써서 의문문을 만들 수 있는데, 이때에는 의문사를 제일 앞에 쓴 다음 be동사 was를 쓴다.

| 질문 | 대답 |
|---|---|
| **Who was** a student last year?<br>**Who was** in his room last night?<br>**Whose pen was** this?<br>**What was** on the table yesterday? | **Sandra** was a student.<br>**Denny** was in his room.<br>This was **my pen.**<br>**A big box** was on the table. |

**?Q** 빈칸에 알맞은 말을 고르세요.

TIPs Grammar tab 1 「Part Ⅵ. 의문사」 참조

**1** (Was / What) (was / what) in the box? 그 상자 안에는 뭐가 있었니?

**2** (Was / When) (was / when) your birthday? 네 생일은 언제였니?

**3** (Was / Who) (was / who) the man? 그 남자는 누구였니?

# Check up 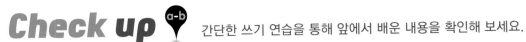 간단한 쓰기 연습을 통해 앞에서 배운 내용을 확인해 보세요.

**A** 빈칸에 알맞은 말을 넣어 의문문을 완성하세요.

1 What              it?  그것은 무엇이었니?

2              the boy tall?  그 소년은 키가 컸니?

3 Where          the girl yesterday?  그 소녀는 어제 어디 있었니?

4              Jill in the bathroom?  질은 욕실에 있었니?

5 Who            there in the morning?  아침에 거기 누가 있었니?

**B** 빈칸에 알맞은 말을 넣어 대화를 완성하세요.

1 **A:**           he kind?  그는 친절했니?

   **B:** Yes,          was.  응, 그랬어.

2 **A:**          was the boy?  그 소년은 누구였니?

   **B:** He          Kevin.  그는 케빈이었어.

3 **A:** What          it?  그것은 무엇이었니?

   **B:** It          a pen.  그것은 펜이었어.

4 **A:**          she angry?  그녀는 화났었니?

   **B:** No, she          .  아니, 그렇지 않았어.

5 **A:**          was Ryan at lunchtime?  라이언은 점심시간에 어디 있었니?

   **B:** He          in his car.  그는 차 안에 있었어.

**be동사 (2)**

**c** **were 의문문 만들기 ❶**  현재 시제와 마찬가지로 be동사 were를 제일 앞에 쓰고 주어를 쓴다.

| 질문 | 대답 |
|---|---|
| **Were you** in London yesterday?<br>**Were we** busy last week?<br>**Were those** in the garden?<br>**Were the babies** cute? | Yes, I was. / No, I wasn't.<br>Yes, you[we] were. / No, you[we] weren't.<br>Yes, they were. / No, they weren't.<br>Yes, they were. / No, they weren't. |

**?** 빈칸에 알맞은 말을 고르세요.

**1** (You / Were) (you / were) in the park?  (너는) 공원에 있었니?

**2** (The dogs / Were) (the dogs / were) cute?  그 개들은 귀여웠니?

**3** (They / Were) (they / were) at home?  그들은 집에 있었니?

**d** **were 의문문 만들기 ❷**  의문사를 함께 써서 의문문을 만들 수 있는데, 이때에는 의문사를 제일 앞에 쓴 다음 be동사 were를 쓴다.

| 질문 | 대답 |
|---|---|
| **Who were they**?<br>**Why were they** busy last week?<br>**Where were you** last night?<br>**How long were you** in Korea? | They were **Jamie and Ben**.<br>They **had much homework**.<br>I was **at home**.<br>**For two years**. |

**TIPs**
Grammar tab 1 「Part VI. 의문사」참조

**?** 빈칸에 알맞은 말을 고르세요.

**1** (Were / What) (were / what) in the box?  상자 안에 뭐가 있었니?

**2** (Were / Why) (were / why) the men sad?  그 남자들은 왜 슬펐니?

**3** (Were / Who) (were / who) in Canada last year?

누가 작년에 캐나다에 있었니?

# Check up 🔍 간단한 쓰기 연습을 통해 앞에서 배운 내용을 확인해 보세요.

## A 빈칸에 알맞은 말을 넣어 의문문을 완성하세요.

1 What _____ those? 저것들은 무엇이었니?

2 _____ the giraffes very tall? (그) 기린들은 키가 아주 컸니?

3 Where _____ you yesterday? (너는) 어제 어디 있었니?

4 Who _____ the women? 그 여자들은 누구였니?

5 _____ they your classmates? 그들은 너희 반 친구들이었니?

## B 보기에서 알맞은 말을 골라 빈칸에 쓰세요.

| was | were | weren't | why | when | I | they | you |
|-----|------|---------|-----|------|---|------|-----|

1 **Q:** Were they cooks? 그들은 요리사였니?

**A:** No, _____. 아니, 그렇지 않았어.

2 **Q:** Were you his teacher? 당신은 그의 선생님이었나요?

**A:** Yes, _____. 네, 그랬어요.

3 **Q:** _____ so tired? 너는 왜 그렇게 피곤했니?

**A:** I exercised too hard. 연습을 너무 열심히 했어.

4 **Q:** _____ they in Busan? 그들은 언제 부산에 있었니?

**A:** Last year. 작년에.

5 **Q:** Were the chicks yellow? 그 병아리들은 노란색이었니?

**A:** Yes, _____. 응, 그랬어.

# Build up

이번 Lesson에서 배운 내용을 토대로 작문 실력을 키워 보세요.

**A** 빈칸에 알맞은 말을 쓰세요.

1 _____ the boys baseball players?  그 소년들은 야구 선수였니?

2 _____ _____ the animal?  그 동물은 무엇이었니?

3 _____ it a tiger?  그것은 호랑이였니?

4 Who _____ a cheerleader?  누가 치어리더였니?

5 What _____ on the desk?  책상 위에 뭐가 있었니?

**B** 밑줄 친 곳을 바르게 고쳐 쓰세요.

1 <u>Was</u> the men fire fighters?  그 남자들은 소방관이었니?

_____ → _____

2 <u>Were</u> Tommy honest?  토미는 정직했니?

_____ → _____

3 <u>Was</u> you a singer?  당신은 가수였나요?

_____ → _____

4 <u>Were where</u> the pens?  그 펜들은 어디 있었니?

_____ → _____

5 <u>Was why</u> she at the library?  그녀는 왜 도서관에 있었니?

_____ → _____

**C** 우리말과 같은 뜻이 되도록 괄호 안의 말들을 순서에 맞게 쓰세요.

1 그 오렌지들은 어디 있었니?

⇨ _____ the oranges? [where, were]

2 서니의 어머니는 피아니스트였니?

⇨ _____ a pianist? [Sunny's mother, was]

3 너는 여기 몇 시에 있었니?

⇨ _____ here? [you, what time, were]

4 거기에 책이 몇 권 있었니?

⇨ _____ there? [books, how many, were]

5 그들은 힘이 매우 셌니?

⇨ _____ very strong? [they, were]

**D** 다음을 의문문으로 고쳐 쓰세요.

1 The guide was kind. 그 가이드는 친절했다.

→ _____?

2 They were roommates last month. 그들은 지난달에 룸메이트였다.

→ _____?

3 The dog was white. 그 개는 흰색이었다.

→ _____?

4 Sam and Zen were angry. 샘과 젠은 화가 났었다.

→ _____?

5 The children were happy. 그 아이들은 행복했다.

→ _____?

# 03 일반동사 (1)

> 일반동사의 과거형은 다소 복잡한 규칙 때문에 어려울 수 있지만, 부정문은 주어의 인칭이나 수에 상관 없이 동일하게 쓴다.

## ⓐ 과거형 규칙 ❶

대부분의 동사는 동사 원형에 -(e)d를 붙이면 과거형이 된다.

| 동사 원형 + -(e)d | like – liked, love – loved, live – lived, hope – hoped<br>walk – walked, want – wanted, end – ended<br>stay – stayed, play – played, enjoy – enjoyed |
| --- | --- |

**❓Q** 다음 동사의 과거형을 쓰세요.

**1** open 열다 - _____  **2** paint 칠하다 - _____

**3** arrive 도착하다 - _____  **4** need 필요로 하다 - _____

**5** work 일하다 - _____  **6** wash 씻다 - _____

**7** use 사용하다 - _____  **8** travel 여행하다 - _____

**9** move 움직이다 - _____  **10** close 닫다 - _____

## ⓑ 과거형 규칙 ❷

「-자음 + y」로 끝나는 동사는 y를 i로 바꾸고 -ed를 붙인다.

| 「-자음 + y」<br>→ 「-자음 + ied」 | carry – carried  study – studied  cry – cried<br>copy – copied  worry – worried  try – tried |
| --- | --- |

**❓Q** 다음 동사의 과거형을 쓰세요.

**1** try 노력하다 - _____  **2** play 놀다 - _____

**3** carry 옮기다 - _____  **4** reply 대답하다 - _____

**5** pray 기도하다 - _____  **6** enjoy 즐기다 - _____

**7** fry 튀기다 - _____  **8** dry 건조시키다 - _____

**9** copy 복사하다 - _____  **10** study 공부하다 - _____

# Check up 🔵ᵃ⁻ᵇ 간단한 쓰기 연습을 통해 앞에서 배운 내용을 확인해 보세요.

## A 다음 동사의 과거형을 쓰세요.

1 finish 끝내다   –

2 study 공부하다   –

3 brush 닦다   –

4 love 사랑하다   –

5 worry 걱정하다   –

6 promise 약속하다   –

7 cry 울다   –

8 wash 씻다   –

9 stay 머물다   –

10 like 좋아하다   –

## B 괄호 안의 단어를 빈칸에 알맞은 형태로 쓰세요.

1 나는 작년에 서울에 살았다.

  ⇨ I _____ in Seoul last year. (live)

2 우리 오빠는 뉴욕에서 영어를 배웠다.

  ⇨ My brother _____ English in New York. (learn)

3 제시카는 어젯밤에 피아노를 쳤다.

  ⇨ Jessica _____ the piano last night. (play)

4 지난 여름에 이곳은 비가 많이 내렸다.

  ⇨ It _____ a lot here last summer. (rain)

5 그는 일요일에 영화를 보았다.

  ⇨ He _____ a movie on Sunday. (watch)

**Lesson 03** 일반동사 (1)

---

**c 과거형 규칙 ❸**

「-단자음 + 단모음 + 단자음」으로 끝나는 동사는 마지막 자음을 하나 더 쓰고 -ed를 붙인다.

| | |
|---|---|
| 「-단자음 + 단모음 + 단자음」<br>→「-단자음 + 단자음 + -ed」 | stop - stop**ped**　　plan - plan**ned**　　clap - clap**ped**<br>drop - drop**ped**　　hug - hug**ged** |

**TIPs** Doubling Rule: p.196 ▷ 〈표 2〉 참조

**?Q** 다음 동사의 과거형을 쓰세요.

**1** hug　안다　　　　　　→　_____

**2** chat　수다를 떨다　　→　_____

**3** stop　멈추다　　　　→　_____

**4** plan　계획하다　　　→　_____

**5** step　발을 딛다, 밟다　→　_____

**6** tap　두드리다　　　　→　_____

---

**d 부정문**

부정문을 만들 때에는 did not 또는 didn't 뒤에 동사 원형을 쓴다.

| | |
|---|---|
| did not/didn't<br>+ 동사원형 | I liked the song.<br>→ **I did not[didn't] like** the song.<br>He studied hard last night.<br>→ He **did not[didn't] study** hard last night.<br>We learned Chinese.<br>→ We **did not[didn't] learn** Chinese. |

**?Q** 빈칸에 알맞은 말을 쓰세요.

**1** I _____ learn Russian. 나는 러시아 어를 배우지 않았다.

**2** Jason _____ _____ watch TV. 제이슨은 TV를 보지 않았다.

**3** They _____ play soccer. 그들은 축구를 하지 않았다.

**4** We _____ _____ believe him. 우리는 그를 믿지 않았다.

# Check up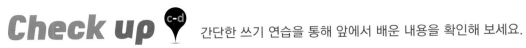

간단한 쓰기 연습을 통해 앞에서 배운 내용을 확인해 보세요.

**A** 빈칸에 알맞은 말을 쓰세요.

| 동사 원형 | | 과거형 |
|---|---|---|
| stop | 1 | |
| hug | 2 | |
| 3 | | planned |
| 4 | | dropped |
| chat | 5 | |

**B** 우리말에 맞게 괄호 안의 말을 알맞은 형태로 쓰세요.

1 그 소년은 어머니를 껴안았다.

⇨ The boy _____ his mother. (hug)

2 우리는 어제 그 콘서트에 가지 않았다.

⇨ We _____ _____ to the concert yesterday. (go)

3 로빈은 오늘 점심을 먹지 않았다.

⇨ Robin _____ _____ _____ lunch today. (have)

4 그녀는 컵을 떨어뜨리지 않았다.

⇨ She _____ _____ the cup. (drop)

5 그는 안경을 밟았다.

⇨ He _____ his glasses. (step)

# Build up

이번 Lesson에서 배운 내용을 토대로 작문 실력을 키워 보세요.

**A** 빈칸에 괄호 안에 주어진 동사의 과거형을 쓰세요.

1 Jessica _____ her room last night. (clean) 제시카는 어제 방을 청소했다.

2 We _____ hard last week. (study) 우리는 지난주에 열심히 공부했다.

3 The man _____ the door. (open) 그 남자는 문을 열었다.

4 They _____ milk. (need) 그들은 우유가 필요했다.

5 The boy _____ his ice cream. (drop) 그 소년은 아이스크림을 떨어뜨렸다.

**B** 밑줄 친 부분을 바르게 고쳐 쓰세요.

1 We <u>studyed</u> math yesterday.  우리는 어제 수학을 공부했다.

_____ → _____

2 The baby often <u>cryed</u>.  그 아기는 자주 울었다.

_____ → _____

3 The child <u>useed</u> a fork.  그 아이는 포크를 사용했다.

_____ → _____

4 She didn't <u>listened</u> to music.  그녀는 음악을 듣지 않았다.

_____ → _____

5 The alligator <u>clossed</u> its mouth.  그 악어는 입을 다물었다.

_____ → _____

**C** 우리말과 같은 뜻이 되도록 괄호 안의 말들을 순서에 맞게 쓰세요.

1 우리는 어제 그 영화를 보지 않았다.

⇨ _____ the movie yesterday. [we, watch, didn't]

2 켈리는 그 상자를 옮겼다.

⇨ _____ the box. [Kelly, carried]

3 나는 어제 양치질을 하지 않았다.

⇨ I _____ my teeth yesterday. [not, did, brush]

4 그는 지난 여름에 여기 오지 않았다.

⇨ _____ here last summer. [he, come, didn't]

5 그녀는 가방을 떨어뜨렸다.

⇨ _____ her bag. [she, dropped]

**D** 다음을 부정문은 긍정문으로, 긍정문은 부정문으로 바꿔 쓰세요.

1 He played tennis at night. 그는 밤에 테니스를 쳤다.

→ _____.

2 You didn't learn Korean. 너는 한국어를 배우지 않았다.

→ _____.

3 Joey baked cookies. 조이는 쿠키를 구웠다.

→ _____.

4 I didn't listen to the radio. 나는 라디오를 듣지 않았다.

→ _____.

5 She finished the homework. 그녀는 숙제를 끝냈다.

→ _____.

# 일반동사 (2)

과거형 만들기 규칙과 전혀 다른 형태의 과거형을 쓰는 동사들은 별도로 암기해야 한다. 동사의 과거형을 익힌 뒤에는 과거 시제 의문문에 대해 알아보자.

**ⓐ 과거형 불규칙 ❶**  규칙과 전혀 다른 형태의 과거형을 쓰는 동사들은 따로 암기해야 한다.

I **go** to school.  나는 학교에 **다닌다**.

→ I **went** to school yesterday.  나는 어제 학교에 **갔다**.

She **sell**s flowers.  그녀는 꽃을 **판다**.

→ She **sold** flowers.  그녀는 꽃을 **팔았다**.

They **buy** ten eggs a week.  그들은 일주일에 계란 열 개를 **산다**.

→ They **bought** ten eggs in the morning.  그들은 아침에 계란 열 개를 **샀다**.

**TIPs** 동사의 과거형: p.198 ➪ 〈표 7〉 참조

**❓Q** 과거형이 규칙과 전혀 다른 형태인 동사를 찾아 동그라미 하세요.

| play | go | buy | learn | study | teach |
|------|------|-------|------|-------|--------|
| tell | walk | run | sell | bake | finish |
| end | come | speak | say | listen | hear |

**ⓑ 과거형 불규칙 ❷**  동사 원형에 아무것도 붙이지 않고 똑같은 형태로 과거형을 쓰는 동사들도 있다.

read – read    let – let    cut – cut    hit – hit
put – put    hurt – hurt    cost – cost    set – set

**TIPs** 동사의 과거형: p.198 ➪ 〈표 7〉 참조

**❓Q** 과거형이 동사 원형과 똑같은 형태인 동사를 찾아 동그라미 하세요.

| pass | go | cut | pay | study | let | bake |
|------|------|-----|------|--------|------|-------|
| put | take | hit | hurt | listen | cost | drive |

# Check up ⓐ-ⓑ 간단한 쓰기 연습을 통해 앞에서 배운 내용을 확인해 보세요.

**A** 다음 동사의 과거형을 쓰세요.

1 break 깨뜨리다  –

2 hurt 다치게 하다  –

3 cut 자르다  –

4 hold 잡다  –

5 drink 마시다  –

6 know 알다  –

7 go 가다  –

8 make 만들다  –

9 sell 팔다  –

10 send 보내다  –

**B** 우리말과 같은 뜻이 되도록 괄호 안에 주어진 말을 빈칸에 알맞게 쓰세요.

1 그녀는 오늘 아침에 눈사람을 만들었다.

➪ She     a snowman this morning. (make)

2 우리 아빠는 어젯밤에 신문을 읽었다.

➪ My dad     the newspaper last night. (read)

3 해리는 여섯 시에 일기를 썼다.

➪ Harry     a diary at six. (write)

4 그는 지난 주말에 소풍을 갔다.

➪ He     for a picnic last weekend. (go)

5 나는 어제 책을 샀다.

➪ I     a book yesterday. (buy)

### ⓒ 의문문 만들기 ❶

「Did + 주어 + 동사 원형 ~?」의 형태로 의문문을 만든다.

| 질문 | 대답 |
|---|---|
| **Did you go** to school yesterday?<br>**Did he write** a diary last night?<br>**Did they learn** English? | **Yes, I did. / No, I didn't.**<br>**Yes, he did. / No, he didn't.**<br>**Yes, they did. / No, they didn't.** |

**?Q** 빈칸에 알맞은 말을 고르세요..

**1** (The kids / Did) (the kids / did) run?  그 아이들은 달렸니?

**2** (They / Did) (they / did) stay at home?  그들은 집에 머물렀니?

**3** (You / Did) (you / did) sing a song last night?

(너는) 어젯밤에 노래를 불렀니?

### ⓓ 의문문 만들기 ❷

의문사를 써서 의문문을 만들 때에는 「의문사 + did (+ 주어) + 동사 원형 ~?」의 형태로 쓴다. 단, who가 '누가'라는 뜻인 경우에는 주어가 who이므로 별도의 주어를 쓰지 않고 「who + 동사 과거형 ~?」으로 쓴다.

| 질문 | 대답 |
|---|---|
| **Who went** to school yesterday?<br>**What time did he write** a diary?<br>**When did they learn** English? | **Wilson** went to school yesterday.<br>He wrote a diary **at six**.<br>They learned English **last year**. |

**TIPs** Grammar tab 1 「Part VI. 의문사」 참조

**?Q** 빈칸에 알맞은 말을 고르세요.

**1** (Did / Why) (did / why) they study math?  그들은 왜 수학을 공부하니?

**2** (Did / What) (did / what) she sell last year?  그녀는 작년에 무엇을 팔았니?

**3** (Did / Who) (did / who) live in Seoul in 2010?

누가 2010년에 서울에서 살았니?

# Check up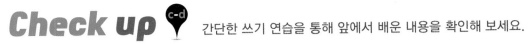

간단한 쓰기 연습을 통해 앞에서 배운 내용을 확인해 보세요.

**A**  빈칸에 알맞은 말을 넣어 의문문을 완성하세요.

1 _____ you sleep well last night?  (너는) 어젯밤에 잘 잤니?

2 What _____ you eat in Japan?  (너는) 일본에서 무얼 먹었니?

3 Where _____ they go then?  그들은 그때 어디 갔었니?

4 _____ he buy an umbrella?  그는 우산을 샀니?

5 Why _____ she go to school on Sunday?  그녀는 왜 일요일에 학교에 갔니?


**B**  주어진 단어를 사용하여 우리말에 맞게 문장을 완성하세요.

1 연우와 조이는 춤을 잘 췄니?

⇨ _____ Yeon-u and Joey _____ well? (dance)

2 그 사슴들은 무엇을 먹었니?

⇨ What _____ the deer _____ ? (eat)

3 저 선생님은 언제 너를 가르치셨니?

⇨ When _____ that teacher _____ you? (teach)

4 (너는) 그 연필을 어디서 샀니?

⇨ Where _____ you _____ the pencil? (buy)

5 너희는 작년에 중국에 갔니?

⇨ _____ you _____ to China last year? (go)

# Build up

**A** 보기에 주어진 단어들을 사용하여 밑줄 친 우리말을 영어로 쓰세요.

| drink | cut | send | break | go |
|---|---|---|---|---|

1  I <u>깨뜨렸다</u> a vase.  ⇨

2  She <u>마셨다</u> apple juice.  ⇨

3  Bella <u>갔다</u> to school.  ⇨

4  He <u>잘랐다</u> his birthday cake.  ⇨

5  Emily <u>보냈다</u> an email.  ⇨

**B** 빈칸에 알맞은 말을 쓰세요.

1  Did they study hard?  그들은 열심히 공부했니?

→ Yes, _____ _____ .

2  Did you see a lion at the zoo?  너는 동물원에서 사자를 보았니?

→ No, _____ _____ .

3  Did he watch TV last night?  그는 어젯밤에 TV를 봤니?

→ Yes, _____ _____ .

4  Did the boys play soccer?  그 소년들은 축구를 했니?

→ No, _____ _____ .

5  Did you read the book?  너는 그 책을 읽었니?

→ No, _____ _____ .

**C** 우리말과 같은 뜻이 되도록 괄호 안의 말들을 순서에 맞게 쓰세요.

1 누가 (네) 숙제를 도와줬니?

⇨ Who _____ ? [your homework, helped]

2 그 경기는 언제 시작했니?

⇨ When _____ ? [the game, start, did]

3 줄리는 어젯밤에 케이크를 조금 먹었다.

⇨ _____ last night. [ate, Julie, some, cake]

4 톰은 어젯밤에 공부를 했니?

⇨ _____ last night? [Tom, study, did]

5 제이슨은 언제 나갔니?

⇨ When _____ ? [Jason, go out, did]


**D** 다음을 평서문은 의문문으로, 의문문은 평서문으로 바꿔 쓰세요.

1 Helen sent an email.  헬렌은 이메일을 보냈다.

→ _____ ?

2 Did Andy drink milk last night?  앤디는 어젯밤에 우유를 마셨니?

→ _____ .

3 They met Mike in the morning.  그들은 아침에 마이크를 만났다.

→ _____ ?

4 Did she carry a heavy box?  그녀는 무거운 상자를 옮겼니?

→ _____ .

5 Lena cleaned her room.  레나는 방을 청소했다.

→ _____ ?

# Review Test

**[1-2] 다음 중 동사의 과거형이 바르지 <u>않은</u> 것을 고르세요.**

**1**
① try – tried
② carry – carried
③ cry – cried
④ stay – staied
⑤ study – studied

**2**
① bring – brought
② go – goed
③ work – worked
④ teach – taught
⑤ put – put

**[3-4] 빈칸에 알맞지 <u>않은</u> 것을 고르세요.**

**3**

_____ were very hungry then.

① The boys
② They
③ Mike and Jason
④ The men
⑤ Your sister

**4**

Nancy went to Brazil _____.

① last night
② yesterday
③ tomorrow
④ in 2011
⑤ last Saturday

**5** 다음 중 올바른 문장을 고르세요.
① He dranks milk this morning.
② She didn't do her homework.
③ Did he goes to the church?
④ What do you did yesterday?
⑤ They not were happy.

**[6-7]** 빈칸에 들어갈 말이 순서대로 짝지어진 것을 고르세요.

**6**

> Did he _____ lunch with them yesterday?  그는 어제 그들과 점심을 먹었니?
> Mike _____ an apple last night.  마이크는 어젯밤에 사과를 하나 갖고 있었다.

① has – has
② have – has
③ had – had
④ have – had
⑤ have – have

**7**

> Jason _____ not a pilot.  제이슨은 파일럿이 아니었다.
> She _____ not finish the work.  그녀는 일을 끝내지 않았다.

① was – did
② was – didn't
③ were – did
④ was – do
⑤ is – was

**8** 빈칸에 알맞은 것을 고르세요.

> She _____ a letter last night.

① writes
② wrote
③ writed
④ write
⑤ writted

**9** 다음을 의문문으로 알맞게 바꾼 것을 고르세요.

> She went to New York last month.

① Does she went to New York last month?
② Was she go to New York last month?
③ Did she go to New York last month?
④ Were she went to New York last month?
⑤ Did she went to New York last month?

[10-11] 다음 대화의 빈칸에 알맞은 것을 고르세요.

**10**

A: _____

B: She studied math.

① When did Mary do last night?
② How did Mary do last night?
③ Why did Mary do last night?
④ What did Mary do last night?
⑤ Where did Mary do last night?

**11**

A: Where were they?
B: _____

① Next week.
② They were in the hall.
③ They went to China.
④ They went to Seoul.
⑤ They were fantastic.

**12** 다음을 부정문으로 알맞게 바꾼 것을 고르세요.

He did his homework last night.

① He doesn't did his homework last night.
② He didn't did his homework last night.
③ He don't do his homework last night.
④ He doesn't do his homework last night.
⑤ He didn't do his homework last night.

**13** 다음 대화의 빈칸에 알맞은 것을 고르세요.

A: Were you busy yesterday?
B: _____. I had no time.

① Yes, I do.
② Yes, I was.
③ Yes, you were.
④ No, I didn't.
⑤ No, I am.

## I

**[14-15]** 다음 중 짝지어진 대화가 <u>어색한</u> 것을 고르세요.

**14**　① Who was the man?　－　He was Jason's uncle.
　　② What was it?　－　It was a banana.
　　③ Where was Paul?　－　He was in the hospital.
　　④ What were they?　－　They were apples.
　　⑤ Who were they?　－　They were computers.

**15**　① **Q:** What did she eat for lunch?
　　　**A:** She ate sandwiches.
　　② **Q:** When did you buy your cell phone?
　　　**A:** I bought it a month ago.
　　③ **Q:** Where did he go yesterday?
　　　**A:** He was my brother.
　　④ **Q:** Why was your father angry?
　　　**A:** I didn't do my homework.
　　⑤ **Q:** When was her birthday?
　　　**A:** It was last weekend.

**[16-20]** 우리말에 맞도록 빈칸에 알맞은 말을 쓰세요.

**16** 크리스는 미용사가 아니었다.　⇨　Chris ＿＿＿＿＿ ＿＿＿＿＿ a hairdresser.

**17** 너는 어젯밤에 수학을 공부했니?　⇨　＿＿＿＿＿ you ＿＿＿＿＿ math last night?

**18** 나는 오늘 일찍 일어나지 않았다.　⇨　I ＿＿＿＿＿ up early today.

**19** 누가 내 점수를 알고 있었니?　⇨　＿＿＿＿＿ my score?

**20** 그는 몇 시에 일어났니?　⇨　＿＿＿＿＿ he get up?

# 미래 시제 (1)

미래 시제는 말 그대로 앞으로 할 일을 표현하는 시제로 '~할 것이다'의 의미이다. 동사 자체를 다르게 쓰지 않고 will 또는 be going to와 동사 원형을 함께 쓴다.

## ⓐ will + 동사 원형

will은 조동사이지만 '~할 것이다'라는 의미의 미래 시제를 만드는 역할도 한다.

She **will be** happy. 그녀는 기뻐**할 것이다.**
I **will do** my homework. 나는 숙제를 **할 것이다.**
It **will rain** today. 오늘은 비가 올 **것이다.**
They **will go** to Brazil. 그들은 브라질에 **갈 것이다.**

**?Q** 빈칸에 알맞은 말을 고르세요.

**1** She will (buy / buys) a ring. 그녀는 반지를 살 것이다.

**2** Alison will (go / goes) home. 앨리슨은 집에 갈 것이다.

**3** He will (do / does) his homework. 그는 숙제를 할 것이다.

## ⓑ will + not + 동사 원형

「will + 동사 원형」을 부정문으로 만들 때에는 조동사와 마찬가지로 will 뒤에 not을 붙이며 won't로 줄여 쓸 수 있다.

She **will not be** happy. 그녀는 기뻐**하지 않을 것이다.**
I **won't do** my homework. 나는 숙제를 **하지 않을 것이다.**
It **won't rain** today. 오늘은 비가 오지 않을 **것이다.**
They **will not go** to Brazil. 그들은 브라질에 **가지 않을 것이다.**

**?Q** 빈칸에 알맞은 말을 고르세요.

**1** She (won't eat / willn't eat) lunch. 그녀는 점심을 먹지 않을 것이다.

**2** I (won't read / willn't read) those books. 나는 저 책들을 읽지 않을 것이다.

**3** We (won't go / willn't go) to school today. 우리는 오늘 학교에 가지 않을 것이다.

# Check up a-b

간단한 쓰기 연습을 통해 앞에서 배운 내용을 확인해 보세요.

**A** 다음 문장을 미래 시제로 바꿔 쓸 때 빈칸에 알맞은 말을 쓰세요.

1 Nelson cleans his room.  넬슨은 방을 청소한다.

   → Nelson _____ _____ his room.

2 She teaches English. 그녀는 영어를 가르친다.

   → She _____ _____ English.

3 He fixes his computer. 그는 컴퓨터를 고친다.

   → He _____ _____ his computer.

4 They begin the work. 그들은 그 일을 시작한다.

   → They _____ _____ the work.

5 Sunny is busy. 서니는 바쁘다.

   → Sunny _____ _____ busy.

**B** 다음 문장을 부정문으로 바꿔 쓸 때 빈칸에 알맞은 말을 쓰세요.

1 It will snow tomorrow.  내일 눈이 내릴 것이다.

   → It _____ _____ snow tomorrow.

2 Jay will learn French.  제이는 프랑스어를 배울 것이다.

   → Jay _____ _____ learn French.

3 Mary will study math.  메리는 수학을 공부할 것이다.

   → Mary _____ _____ math.

4 He will visit his grandfather.  그는 할아버지를 방문할 것이다.

   → He _____ _____ his grandfather.

5 I will go there.  나는 거기에 갈 것이다.

   → I _____ _____ _____ there.

**c** be going to + 동사 원형 「will + 동사 원형」과 같은 의미이지만, be동사를 주어에 따라 다르게 쓴다.

She **is going to be** happy. 그녀는 기뻐할 것이다.
I**'m going to do** my homework. 나는 숙제를 할 것이다.
It**'s going to rain** today. 오늘은 비가 올 것이다.
They **are going to go** to Brazil. 그들은 브라질에 갈 것이다.

**?Q** 빈칸에 알맞은 말을 쓰세요.

**1** I _____ going to learn English. 나는 영어를 배울 것이다.

**2** It _____ going to snow today. 오늘은 눈이 올 것이다.

**3** You _____ going to go to Russia. 너는 러시아에 갈 것이다.

**d** be + not + going to + 동사 원형 be동사의 부정문 만들기와 마찬가지로 be동사 다음에 바로 not을 붙인다.

She **is not going to be** happy. 그녀는 기뻐하지 않을 것이다.
I**'m not going to do** my homework. 나는 숙제를 하지 않을 것이다.
It **isn't going to rain** today. 오늘은 비가 오지 않을 것이다.
They **aren't going to go** to Brazil. 그들은 브라질에 가지 않을 것이다.

**?Q** 빈칸에 알맞은 말을 쓰세요.

**1** I'm _____ going to buy this. 나는 이것을 사지 않을 것이다.

**2** Gina _____ going to be a doctor. 지나는 의사가 되지 않을 것이다.

**3** We're _____ going to go to Japan. 우리는 일본에 가지 않을 것이다.

# Check up <sup>c-d</sup>

간단한 쓰기 연습을 통해 앞에서 배운 내용을 확인해 보세요.

**A** 우리말과 같은 뜻이 되도록 빈칸에 알맞은 말을 쓰세요.

1 나는 햄버거를 먹을 것이다. ⇨ I       to eat a hamburger.

2 그녀는 그 기차를 탈 것이다. ⇨ She       to take the train.

3 우리는 학교에 가지 않을 것이다. ⇨ We're       to go to school.

4 스누피는 그를 도울 것이다. ⇨ Snoopy       to help him.

5 엄마는 기쁘지 않을 것이다. ⇨ Mom       to be happy.

**B** 두 문장이 같은 뜻이 되도록 빈칸에 알맞은 말을 쓰세요.

1 He is going to visit his friend. 그는 친구를 방문할 것이다.

⇨ He       visit his friend.

2 We will go to the ski resort. 우리는 그 스키장에 갈 것이다.

⇨ We             to go to the ski resort.

3 I am going to listen to music. 나는 음악을 들을 것이다.

⇨ I       listen to music.

4 Shen isn't going to learn Korean. 셴은 한국어를 배우지 않을 것이다.

⇨ Shen       learn Korean.

5 They will not play soccer. 그들은 축구를 하지 않을 것이다.

⇨ They             to play soccer.

# Build up

**A** 다음을 will을 사용하여 미래 시제로 바꿔 쓰세요.

1  He writes a diary.        →  _____.  그는 일기를 쓸 것이다.

2  They go home.            →  _____.  그들은 집에 갈 것이다.

3  It rains.                →  _____.  비가 올 것이다.

4  She watches a movie.     →  _____.  그녀는 영화를 볼 것이다.

5  We have breakfast.       →  _____.  우리는 아침 식사를 할 것
                                                              이다.

**B** 괄호 안의 지시에 따라 빈칸에 알맞은 말을 쓰세요.

1  You _____ buy a cell phone. (미래 시제 긍정문)
   너는 휴대 전화를 살 것이다.

2  She _____ _____ _____ help Nancy. (미래 시제 긍정문)
   그녀는 낸시를 도울 것이다.

3  They _____ _____ be happy. (미래 시제 부정문)
   그들은 행복하지 않을 것이다.

4  The boy _____ _____ _____ go home. (미래 시제 부정문)
   그 소년은 집에 가지 않을 것이다.

5  Fred _____ _____ his homework. (미래 시제 긍정문)
   프레드는 숙제를 할 것이다.

**C** 두 문장의 뜻이 같도록 빈칸에 알맞은 말을 쓰세요.

1  It is going to rain tomorrow.  내일 비가 내릴 것이다.

⇨ It _____ _____ tomorrow.

2  He will not teach math.  그는 수학을 가르치지 않을 것이다.

⇨ He _____ _____ _____ teach math.

3  They will help the old man.  그들은 그 노인을 도울 것이다.

⇨ They _____ _____ _____ help the old man.

4  He is not going to go home.  그는 집에 가지 않을 것이다.

⇨ He _____ _____ home.

5  She will stay here.  그녀는 여기 머무를 것이다.

⇨ _____ _____ _____ stay here.

**D** 다음을 부정문으로 바꿔 쓰세요.

1  We are going to move to Seoul.  우리는 서울로 이사 갈 것이다.

→ _____.

2  I will go to Bali.  나는 발리에 갈 것이다.

→ _____.

3  They will play basketball.  그들은 농구를 할 것이다.

→ _____.

4  I will tell the story.  나는 그 이야기를 할 것이다.

→ _____.

5  She is going to paint the wall.  그녀는 벽을 칠할 것이다.

→ _____.

## 미래 시제 (2)

미래 시제를 사용하는 의문문과 대답의 형태와 뜻을 익혀 보자.

**ⓐ will 의문문 만들기 ❶**   조동사 의문문과 마찬가지로 항상 will을 제일 앞에 쓴 다음 주어를 쓴다.

| 질문 | 대답 |
|---|---|
| **Will she be** happy? | **Yes, she will. / No, she won't.** |
| **Will you do** your homework? | **Yes, I will. / No, I won't.** |
| **Will it rain** today? | **Yes, it will. / No, it won't.** |
| **Will they go** to Brazil? | **Yes, they will. / No, they won't.** |

TIPs Grammar tab 1 「Part Ⅳ. 조동사」 참조

**?Q** 빈칸에 알맞은 말을 쓰세요.

**1** _____ you wait for Susie? 너는 수지를 기다릴 거니?

**2** _____ she meet him tomorrow? 그녀는 내일 그를 만나니?

**3** _____ Mike study hard? 마이크는 공부를 열심히 할까?

**ⓑ will 의문문 만들기 ❷**   의문사를 붙여 특정한 질문을 만들 수 있는데, 의문사를 제일 앞에 쓴 다음 will을 쓴다.

| 질문 | 대답 |
|---|---|
| **Who will be** happy? | **Your mother** will be happy. |
| **When will you do** your homework? | I'll do my homework **at night**. |
| **Where will they go**? | They will go to **Brazil**. |

TIPs Grammar tab 1 「Part Ⅵ. 의문사」 참조

**?Q** 우리말에 맞게 빈칸에 알맞은 말을 쓰세요.

**1** _____ you leave? (너는) 언제 떠날 거니?

**2** _____ you stay here? (너는) 여기 얼마나 머물 거니?

**3** _____ Hester meet? 헤스터는 누구를 만날 거니?

# Check up 🎈ᵃ⁻ᵇ 간단한 쓰기 연습을 통해 앞에서 배운 내용을 확인해 보세요.

**A** 우리말과 같은 뜻이 되도록 빈칸에 알맞은 말을 쓰세요.

1 누가 피자를 먹을 거니?  ⇨  Who _____ eat pizza?

2 (너는) 언제 젠을 만날 거니?  ⇨  When _____ you meet Zen?

3 오늘 눈이 올까?  ⇨  _____ it snow today?

4 그는 빨리 올까?  ⇨  _____ he come quickly?

5 보니는 그 신발을 살 거니?  ⇨  _____ Bonnie buy the shoes?


**B** 다음 의문문에 대한 대답을 완성하세요.

1 **Q:** Will he learn German?  그는 독일어를 배울 거니?

　**A:** No, _____.

2 **Q:** Will you clean the room?  (너는) 방을 청소할 거니?

　**A:** Yes, _____.

3 **Q:** Will you play soccer?  너희는 축구를 할 거니?

　**A:** No, _____.

4 **Q:** Will she be in class tomorrow?  그녀는 내일 수업에 들어올까?

　**A:** Yes, _____.

5 **Q:** Will your father come this evening?  너희 아버지는 오늘 저녁에 오시니?

　**A:** No, _____.

**c** be going to
의문문 만들기 ❶

be동사 의문문과 마찬가지로 항상 be동사를 제일 앞에 쓴 다음 주어를 쓴다.

| 질문 | 대답 |
|------|------|
| **Is she going to be** happy? <br> **Are you going to do** your homework? <br> **Is it going to rain** today? <br> **Are they going to go** to Brazil? | **Yes, she is. / No, she isn't.** <br> **Yes, I am. / No, I'm not.** <br> **Yes, it is. / No, it isn't.** <br> **Yes, they are. / No, they aren't.** |

(TIPS) Grammar tab 1 「Part Ⅲ. 동사 (1) 현재 시제」 참조

**?Q** 빈칸에 알맞은 말을 쓰세요.

**1** _____ you going to wait for Susie?  너는 수지를 기다릴 거니?

**2** _____ he going to meet her tomorrow? 그는 내일 그녀를 만나니?

**3** _____ Mike going to study hard? 마이크는 공부를 열심히 할까?

**d** be going to
의문문 만들기 ❷

의문사를 붙여 특정한 질문을 만들 수 있는데, 의문사를 제일 앞에 쓴 다음 be 동사를 쓴다.

| 질문 | 대답 |
|------|------|
| **Who is going to be** happy? <br> **When are you going to do** your homework? <br> **Where are they going to go?** | **Your mother** is going to be happy. <br> I'm going to do my homework **at night**. <br> They're going to go to **Brazil**. |

(TIPS) Grammar tab 1 「Part Ⅵ. 의문사」 참조

**?Q** 우리말에 맞게 빈칸에 알맞은 말을 쓰세요.

**1** When _____ you going _____ leave?

(너는) 언제 떠나니?

**2** How long _____ you going _____ stay?

(너는) 얼마나 머물 거니?

**3** Who _____ Hester going _____ meet?

헤스터는 누구를 만나니?

# Check up 🎯 간단한 쓰기 연습을 통해 앞에서 배운 내용을 확인해 보세요.

**A** 우리말과 같은 뜻이 되도록 빈칸에 알맞은 말을 쓰세요.

1 그들은 이사할 거니? ⇨ _____ they _____ to move?

2 누가 노래할 거니? ⇨ Who _____ _____ to sing?

3 오늘 눈이 올까? ⇨ _____ it _____ to snow today?

4 그는 어디로 갈 거니? ⇨ Where _____ he _____ to go?

5 (너는) 케이크 먹을 거니? ⇨ _____ you _____ to eat cake?

**B** 다음 의문문에 대한 대답을 완성하세요.

1 **Q:** Is the boy going to study math? 그 소년은 수학을 공부할 거니?

   **A:** Yes, _____ .

2 **Q:** Are they going to drink juice? 그들은 주스를 마실 거니?

   **A:** No, _____ .

3 **Q:** Are you going to meet the singer? 너희는 그 가수를 만날 거니?

   **A:** Yes, _____ .

4 **Q:** Is she going to move? 그녀는 이사를 할 거니?

   **A:** Yes, _____ .

5 **Q:** Are you going to visit Pohang? 너는 포항을 방문할 거니?

   **A:** No, _____ .

# Build up

이번 Lesson에서 배운 내용을 토대로 작문 실력을 키워 보세요.

**A** 다음 대화의 빈칸에 알맞은 말을 쓰세요.

1  **Q:** _____ you going to go?  너는 어디에 갈 거니?

   **A:** I am going to go to the library.  (나는) 도서관에 갈 거야.

2  **Q:** Are they going to swim?  그들은 수영을 할 거니?

   **A:** No, _____ .  아니, 그렇지 않아.

3  **Q:** _____ she going to do?  그녀는 무엇을 할 거니?

   **A:** She is going to cook.  그녀는 요리를 할 거야.

4  **Q:** Will you be a teacher?  너는 선생님이 될 거니?

   **A:** No, _____ .  아니, 그렇지 않아.

5  **Q:** _____ the movie begin?  그 영화는 언제 시작하니?

   **A:** It will begin at eleven.  11시에 시작할 거야.

**B** 두 문장의 뜻이 같아지도록 빈칸에 알맞은 말을 쓰세요.

1  Are they going to learn English?  그들은 영어를 배울 거니?

   ⇨ _____ they _____ English?

2  Will it rain on Saturday?  토요일에 비가 올까?

   ⇨ _____ it going _____ _____ on Saturday?

3  Will they arrive tomorrow?  그들은 내일 도착하니?

   ⇨ _____ they going _____ _____ tomorrow?

4  Are you going to have dinner?  너는 저녁 식사를 할 거니?

   ⇨ _____ you _____ dinner?

5  Will Ken wash the dishes?  켄은 설거지를 할 거니?

   ⇨ _____ Ken going _____ _____ the dishes?

**C** 빈칸에 알맞은 말을 넣어 질문에 대한 대답을 완성하세요.

1   **Q:** Is she going to buy a new watch?  그녀는 새 시계를 살 거니?

    **A:** No, ＿＿＿＿ ＿＿＿＿.  아니, 그렇지 않아.

2   **Q:** Will you be a violinist?  너는 바이올리니스트가 될 거니?

    **A:** ＿＿＿＿, ＿＿＿＿ will.  응, 그래.

3   **Q:** Are they going to eat apples?  그들은 사과를 먹을 거니?

    **A:** Yes, ＿＿＿＿ ＿＿＿＿.  응, 그래.

4   **Q:** Will Kelly go to the city?  켈리는 그 도시에 갈 거니?

    **A:** ＿＿＿＿, she ＿＿＿＿.  아니, 그렇지 않아.

5   **Q:** Are you going to invite Luke?  너는 루크를 초대할 거니?

    **A:** Yes, ＿＿＿＿ ＿＿＿＿.  응, 그래.


**D** 밑줄 친 곳을 바르게 고쳐 올바른 문장으로 쓰세요.

1   How <u>they will</u> go there?  그들은 거기 어떻게 갈 거니?

    → ＿＿＿＿＿＿＿＿＿＿＿＿＿＿＿＿

2   Are you <u>to going bake</u> some cookies?  너는 쿠키를 구울 거니?

    → ＿＿＿＿＿＿＿＿＿＿＿＿＿＿＿＿

3   Is he <u>going to meets</u> Ms. Clinton?  그는 클린턴 씨를 만날 거니?

    → ＿＿＿＿＿＿＿＿＿＿＿＿＿＿＿＿

4   When <u>she is going to leaves</u>?  그녀는 언제 떠나니?

    → ＿＿＿＿＿＿＿＿＿＿＿＿＿＿＿＿

5   How many times <u>you will</u> go there?  너는 거기 몇 번 갈 거니?

    → ＿＿＿＿＿＿＿＿＿＿＿＿＿＿＿＿

# 03 진행 시제 (1) 현재 진행

주어가 지금 하고 있는 동작이나 일을 표현할 때 현재 진행 시제를 쓴다.

## ⓐ 긍정문

'~하고 있다'는 뜻으로 「be동사 현재 + 동사-ing」로 쓰는데, 주어에 따라 be 동사 현재의 형태가 달라진다.

### 「am/is/are + 동사-ing」 ~하고 있다

I **am reading** a book. 나는 책을 읽고 있다.
He **is running**. 그는 달리고 있다.
They **are playing** badminton. 그들은 배드민턴을 치고 있다.
Donald and Harry **are eating** pizza. 도널드와 해리는 피자를 먹고 있다.

**TIPs** Doubling Rule: p.196 ⇨ 〈표 2〉 참조

❓ 우리말과 같은 뜻이 되도록 빈칸에 알맞은 말을 고르세요.

**1** 나는 점심을 먹고 있다.　　❍　I (have / am having) lunch.

**2** 소희는 영어 공부 중이다.　❍　So-hui (is studying / studies) English.

**3** 우리는 야구를 보고 있다.　❍　We (watch / are watching) baseball.

## ⓑ 현재 진행 vs. 현재

지금 하고 있는 동작이나 일을 말할 때 현재 진행 시제를 쓰고, 습관이나 반복적으로 이루어지는 일을 말할 때 현재 시제를 쓴다.

Terry often **sings** a song. 테리는 종종 노래를 부른다.
Terry **is singing** a song (now). 테리는 (지금) 노래를 부르고 있다.

Mom **drinks** coffee in the morning. 엄마는 아침에 커피를 마신다.
Mom **is drinking** coffee (now). 엄마는 지금 커피를 마시고 있다.

❓ 우리말에 맞게 다음 빈칸에 알맞은 말을 고르세요.

**1** 아빠는 밤에 책을 읽는다.　❍　Dad (reads / is reading) a book at night.

**2** 산다라는 샤워를 하고 있다.　❍　Sandara (takes / is taking) a shower.

**3** 그녀는 운전을 하고 있다.　❍　She (drives / is driving) a car.

058 II. 동사 (3) 미래 시제와 진행 시제

# Check up ⓐ-ⓑ 간단한 쓰기 연습을 통해 앞에서 배운 내용을 확인해 보세요.

**A** 우리말과 같은 뜻이 되도록 빈칸에 알맞은 말을 쓰세요.

1 앤디는 춤을 추고 있다. ⇨ Andy _____ dancing.

2 나는 음악을 듣고 있다. ⇨ _____ listening to music.

3 에릭은 열심히 일하고 있다. ⇨ Eric _____ working hard.

4 박지성은 훈련을 하고 있다. ⇨ Park Ji-sung _____ training.

5 내 (남)동생은 자고 있다. ⇨ My little brother _____ sleeping.

**B** 우리말과 같은 뜻이 되도록 괄호 안의 동사를 빈칸에 알맞은 형태로 쓰세요.

1 제시카는 지금 점심을 먹는 중이다.

⇨ Jessica _____ lunch now. (have)

2 나는 매일 일기를 쓴다.

⇨ I _____ a diary every day. (keep)

3 두리와 하나는 TV를 보고 있다.

⇨ Du-ri and Ha-na _____ TV. (watch)

4 여름에는 비가 많이 온다.

⇨ It _____ a lot in summer. (rain)

5 스티브는 핫초코를 마시고 있다.

⇨ Steve _____ hot chocolate. (drink)

**c** **부정문**

'~하고 있지 않다'는 뜻으로 「be동사 현재 + not + 동사-ing」의 형태를 쓴다.

「am/is/are + not + 동사-ing」 ~하고 있지 않다

I **am not reading** a book. 나는 책을 **읽고 있지 않다**.
He **isn't running**. 그는 달리고 있지 않다.
They **are not playing** badminton. 그들은 배드민턴을 **치고 있지 않다**.
Donald and Harry **aren't eating** pizza. 도널드와 해리는 피자를 **먹고 있지 않다**.

**?Q** 다음 문장이 현재 진행 부정문이 되도록 빈칸에 알맞은 말을 쓰세요.

**1** Jason is _____ studying math.

제이슨은 수학을 공부하고 있지 않다.

**2** I'm _____ playing the guitar.

나는 기타를 연주하고 있지 않다.

**3** They're _____ riding a bike.

그들은 자전거를 타고 있지 않다.

**d** **의문문**

'~하고 있니?'라고 물으려면 「be동사 현재 + 주어 + 동사-ing ~?」의 형태를 쓴다.

「am/is/are + 주어 + 동사-ing ~?」 ~하고 있니?

**Are** you **reading** a book? (너는) 책을 **읽고 있니**?
**Is** he **running**? 그는 달리고 있니?
**Are** they **playing** badminton? 그들은 배드민턴을 **치고 있니**?
**Are** Donald and Harry **eating** pizza? 도널드와 해리는 피자를 **먹고 있니**?

What **are** you **doing** (now)? (너는) (지금) 무얼 **하고 있니**?

**?Q** 빈칸에 알맞은 말을 고르세요.

**1** Who (am / are / is) running? 누가 달리고 있니?

**2** (Am / Are / Is) you going to school? (너는) 학교에 가고 있니?

**3** Why is he (goes / going) to the hospital?

그는 왜 병원에 가고 있니?

# Check up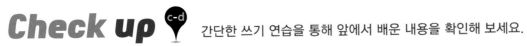

간단한 쓰기 연습을 통해 앞에서 배운 내용을 확인해 보세요.

**A** 빈칸에 알맞은 말을 쓰세요.

1 _____ Susie drinking milk shake? 수지는 밀크셰이크를 마시고 있니?

2 _____ they fishing in the river? 그들은 강에서 낚시를 하고 있니?

3 He _____ training now. 그는 지금 훈련을 하고 있지 않다.

4 What _____ you studying? 너는 무엇을 공부하고 있니?

5 Harry and William _____ traveling now. 해리와 윌리엄은 여행 중이 아니다.

**B** 우리말과 같은 뜻이 되도록 괄호 안의 동사를 빈칸에 알맞은 형태로 쓰세요.

1 크리스털은 어디서 춤을 추고 있니?

⇨ Where _____ Crystal _____ ? (dance)

2 나는 수영을 하고 있지 않다.

⇨ I _____ _____ _____ . (swim)

3 서울은 비가 오고 있니?

⇨ _____ it _____ in Seoul? (rain)

4 리지는 만화책을 보고 있지 않다.

⇨ Lizzy _____ _____ a comic book. (read)

5 닉쿤은 무엇을 요리를 하고 있니?

⇨ What _____ Nichkhun _____ ? (cook)

# Build up

**A** 다음 문장을 현재 진행 시제로 바꿀 때 빈칸에 알맞은 말을 쓰세요.

1 Lena sings a song every day. 레나는 매일 노래를 부른다.

→ Lena ⬜⬜ ⬜⬜ a song now. 레나는 지금 노래를 부르고 있다.

2 Jay often dances. 제이는 종종 춤을 춘다.

→ Jay ⬜⬜ ⬜⬜ now. 제이는 지금 춤을 추고 있다.

3 They sometimes swim. 그들은 가끔 수영을 한다.

→ They ⬜⬜ ⬜⬜ now. 그들은 지금 수영을 하고 있다.

4 I don't watch TV in the morning. 나는 아침에 TV를 보지 않는다.

→ ⬜⬜ ⬜⬜ watching TV now. 나는 지금 TV를 보고 있지 않다.

5 He doesn't drink coffee. 그는 커피를 마시지 않는다.

→ He ⬜⬜ ⬜⬜ ⬜⬜ coffee now.
그는 지금 커피를 마시고 있지 않다.


**B** 밑줄 친 부분을 바르게 고쳐 쓰세요.

1 This train is run so fast. 이 기차는 매우 빨리 달리고 있다.

⬜⬜ → ⬜⬜

2 Martina are playing tennis. 마르티나는 테니스를 치고 있다.

⬜⬜ → ⬜⬜

3 Daniel and Sam is eating hot dogs. 대니얼과 샘은 핫도그를 먹고 있다.

⬜⬜ → ⬜⬜

4 We aren't studieing science. 우리는 과학 공부를 하고 있지 않다.

⬜⬜ → ⬜⬜

5 Do they playing baseball? 그들은 야구를 하고 있니?

⬜⬜ → ⬜⬜

**C** 우리말과 같은 뜻이 되도록 주어진 말을 순서에 맞게 쓰세요.

1 나는 숙제를 하고 있다.

　⇨ _____. [ doing, homework, I'm, my ]

2 현아는 운동을 하고 있다.

　⇨ _____. [ exercising, Hyeon-a, is ]

3 연우는 책을 읽고 있지 않다.

　⇨ _____. [ reading, Yeon-u, a book, isn't ]

4 너희 오빠는 자고 있니?

　⇨ _____? [ sleeping, brother, is, your ]

5 클라우디아는 왜 지금 스케이트를 타고 있니?

　⇨ _____? [ skating, why, Claudia, is, now ]

**D** 보기와 같이 주어진 말을 이용하여 우리말을 <u>영어로</u> 옮기세요.

조는 요리를 하고 있다. **(Joe, cook)** ⇨ **Joe is cooking.**

1 그는 양치를 하고 있다.

　⇨ _____. [ brush, his, teeth ]

2 토니는 책을 읽고 있니?

　⇨ _____? [ Tony, read a book ]

3 지오는 왜 노래를 부르고 있니?

　⇨ _____? [ Zio, sing ]

4 저 거위들은 물을 마시고 있지 않다.

　⇨ _____. [ geese, drink, water ]

5 그들은 극장에 가고 있다.

　⇨ _____. [ go to the theater ]

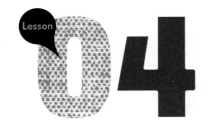

# 04 진행 시제 (2) 과거 진행

주어가 과거 어느 시점에 하고 있었던 동작이나 일을 표현할 때 과거 진행 시제를 쓴다.

**ⓐ 긍정문**

'~하는 중이었다'는 뜻으로 「be동사 과거 + 동사-ing」을 쓰는데, 주어에 따라 be동사 과거의 형태가 달라진다.

---

**「was/were + 동사-ing」 ~하는 중이었다**

I **was reading** a book.  나는 책을 읽는 중이었다.
He **was running**.  그는 달리는 중이었다.
They **were playing** badminton.  그들은 배드민턴을 치는 중이었다.
Donald and Harry **were eating** pizza.  도널드와 해리는 피자를 먹는 중이었다.

---

**? Q** 우리말과 같은 뜻이 되도록 빈칸에 알맞은 말을 고르세요.

**1** 비가 내리는 중이었다.

   ◎ It (rained / was raining).

**2** 소희는 영어 공부 중이었다.

   ◎ So-hui (was studying / studied) English.

**3** 우리는 야구를 보고 있었다.

   ◎ We (watched / were watching) baseball.

**ⓑ 과거 진행 vs. 과거**

과거 어느 시점에 하고 있었던 동작이나 일을 말할 때 과거 진행 시제를, 과거 어느 시점에 한 동작이나 일을 말할 때 과거 시제를 쓴다.

---

Terry **was cleaning** the garden (then).  테리는 (그때) 정원을 청소하는 중이었다.
Terry **cleaned** the garden yesterday.  테리는 어제 정원을 청소했다.

---

**? Q** 우리말에 맞게 다음 빈칸에 알맞은 말을 고르세요.

**1** 우리는 어제 수영을 했다.

   ◎ We (swam / were swimming) yesterday.

**2** 그는 나무를 심는 중이었다.

   ◎ He (planted / was planting) a tree.

**3** 나는 그때 그림을 그리는 중이었다.

   ◎ I (drew / was drawing) then.

# Check up  <sup>a-b</sup>  간단한 쓰기 연습을 통해 앞에서 배운 내용을 확인해 보세요.

**A** 우리말과 같은 뜻이 되도록 빈칸에 알맞은 말을 쓰세요.

1  나는 그를 찾는 중이었다.  ⇨  I _____ finding him.

2  그녀는 학생들을 가르치는 중이었다.  ⇨  She _____ teaching students.

3  유리는 발레를 배우는 중이었다.  ⇨  Yu-ri _____ learning ballet.

4  그들은 목욕을 하는 중이었다.  ⇨  They _____ taking a bath.

5  우리는 축구를 보는 중이었다.  ⇨  We _____ watching soccer.

**B** 우리말과 같은 뜻이 되도록 괄호 안의 동사를 빈칸에 알맞은 형태로 쓰세요.

1  우리는 그때 소풍을 가는 중이었다.

⇨ We _____ for a picnic then. (go)

2  주디는 토마토 주스를 만드는 중이었다.

⇨ Judie _____ tomato juice. (make)

3  나는 태권도 경기를 보는 중이었다.

⇨ I _____ a taekwondo match. (watch)

4  스테판은 쿠키를 굽는 중이었다.

⇨ Stephan _____ cookies. (bake)

5  그 아이들은 잠을 자고 있었다.

⇨ The children _____. (sleep)

**c** 부정문

'~하는 중이 아니었다'는 뜻으로 「be동사 과거 + not + 동사-ing」의 형태를 쓴다.

---

「wasn't/weren't + 동사-ing」 ~하는 중이 아니었다

I **wasn't reading** a book. 나는 책을 읽는 중이 아니었다.

He **wasn't running**. 그는 달리는 중이 아니었다.

They **weren't playing** badminton. 그들은 배드민턴을 치는 중이 아니었다.

Donald and Harry **weren't eating** pizza. 도널드와 해리는 피자를 먹는 중이 아니었다.

 TIPs was not, were not도 쓸 수 있지만 일반적으로 축약형을 쓴다.

---

**?Q** 다음 문장이 과거 진행 부정문이 되도록 빈칸에 알맞은 말을 쓰세요.

**1** Sammy _____ listening to music.

새미는 음악을 듣고 있지 않았다.

**2** She _____ driving a car.

그녀는 운전 중이 아니었다.

**3** We _____ waiting for him.

우리는 그를 기다리는 중이 아니었다.

**d** 의문문

'~하는 중이었니?'라고 물으려면 「be동사 과거 + 주어 + 동사-ing ~?」의 형태를 쓴다.

---

「was/were + 주어 + 동사-ing ~?」 ~하는 중이었니?

**Were** you **reading** a book? (너는) 책을 읽는 중이었니?

**Was** he **running**? 그는 달리는 중이었니?

**Were** they **playing** badminton? 그들은 배드민턴을 치는 중이었니?

**Were** Donald and Harry **eating** pizza? 도널드와 해리는 피자를 먹는 중이었니?

---

What **were** you **doing** (then)? (너는) (그때) 무얼 하고 있었니?

---

**?Q** 빈칸에 알맞은 말을 고르세요.

**1** Where (was / were) he finding it? 그는 어디서 그걸 찾고 있었니?

**2** (Was / Were) you jogging? (너는) 조깅하는 중이었니?

**3** What (was / were) she watching? 그녀는 무얼 보는 중이었니?

# Check up 🔵ᶜ⁻ᵈ 간단한 쓰기 연습을 통해 앞에서 배운 내용을 확인해 보세요.

## Ⓐ 빈칸에 알맞은 말을 쓰세요.

1 _____ the dog barking?  그 개는 짖고 있었니?

2 These students _____ studying.  이 학생들은 공부하고 있지 않았다.

3 I _____ traveling in Beijing.  나는 북경을 여행하는 중이 아니었다.

4 Who _____ they waiting for?  그들은 누구를 기다리는 중이었니?

5 Who _____ singing last night?  어젯밤에 누가 노래를 하고 있었니?

## Ⓑ 우리말과 같은 뜻이 되도록 괄호 안의 동사를 빈칸에 알맞은 형태로 쓰세요.

1 제니스는 무슨 영화를 보고 있었니?

⇨ What movie _____ Janice _____? (watch)

2 엄마는 점심을 먹는 중이 아니었다.

⇨ Mom _____ _____ lunch. (have)

3 나는 책상을 정리하는 중이 아니었다.

⇨ I _____ _____ my desk. (tidy)

4 (너는) 어디서 골프를 치고 있었니?

⇨ Where _____ you _____ golf? (play)

5 그들은 왜 거기서 노래를 부르고 있었니?

⇨ Why _____ they _____ there? (sing)

## Build up
이번 Lesson에서 배운 내용을 토대로 작문 실력을 키워 보세요.

**A** 다음 문장을 과거 진행 시제로 바꿀 때 빈칸에 알맞은 말을 쓰세요.

1  Jackie went to hospital yesterday.  재키는 어제 병원에 갔다.

   → Jackie _____ _____ to hospital.  재키는 병원에 가는 중이었다.

2  Karin ate a sandwich for breakfast.  카린은 아침으로 샌드위치를 먹었다.

   → Karin _____ _____ a sandwich.  카린은 샌드위치를 먹고 있었다.

3  I told him last night.  나는 어젯밤에 그에게 말했다.

   → I _____ _____ him then.  나는 그때 그에게 말하는 중이었다.

4  Did they travel Paris last year?  그들은 작년에 파리를 여행했니?

   → _____ they _____ Paris last year?  그들은 작년에 파리 여행 중이었니?

5  He didn't make this chair.  그는 이 의자를 만들지 않았다.

   → He _____ _____ this chair.  그는 이 의자를 만들고 있지 않았다.


**B** 밑줄 친 부분을 바르게 고쳐 쓰세요.

1  The bear <u>was jump</u> on the rock.  그 곰은 바위 위에서 뛰고 있었다.

   _____ → _____

2  <u>Were Aaron</u> driving the truck?  에런은 트럭을 운전 중이었니?

   _____ → _____

3  These birds <u>didn't flying</u> then.  이 새들은 그때 날고 있지 않았다.

   _____ → _____

4  We <u>weren't ride</u> a bike.  우리는 자전거를 타고 있지 않았다.

   _____ → _____

5  Where <u>did he doing</u> his homework?  그는 어디서 숙제를 하고 있었니?

   _____ → _____

**C** 괄호 안의 말들을 순서에 맞게 쓰세요.

1 전화벨이 울리고 있지 않았다.

⇨ _____ [ringing, the phone, wasn't]

2 이 토끼는 세수를 하고 있었니?

⇨ _____ [washing, this rabbit, was, its face]

3 그들은 왜 울고 있었니?

⇨ _____ [crying, they, why, were]

4 그녀는 신문을 읽는 중이었다.

⇨ _____ [reading, she, was, a newspaper]

5 누가 문을 열고 있었니?

⇨ _____ [opening, who, the door, was]

**D** 보기와 같이 주어진 말을 이용하여 우리말을 <u>영어로</u> 옮기세요.

> 린은 책을 읽는 중이었다. **[Lyn, read a book]** ⇨ **Lyn was reading a book.**

1 볼트는 달리기를 하는 중이었다.

⇨ _____ [Bolt, run]

2 안드레아는 그녀를 부르고 있지 않았다.

⇨ _____ [Andrea, call her]

3 케이와 준은 저녁을 먹는 중이었니?

⇨ _____ [Kei and June, have dinner]

4 그 공주는 어디서 잠을 자고 있었니?

⇨ _____ [the princess, sleep]

5 윤아는 기차 여행 중이었다.

⇨ _____ [Yun-a, travel by train]

# Review Test

**[1-2] 다음 중 틀린 것을 고르세요.**

**1**
① sit – sitting
② make – makeing
③ stop – stopping
④ watch – watching
⑤ fly – flying

**2**
① write – writing
② swim – swimming
③ do – doing
④ study – studieing
⑤ visit – visiting

**[3-5] 다음 빈칸에 알맞은 것을 고르세요.**

**3**

We _____ lunch now.

① were having
② have
③ are having
④ are have
⑤ is having

**4**

_____ Alison traveling Europe then?  앨리슨은 그때 유럽 여행 중이었니?

① Does
② Were
③ Did
④ Is
⑤ Was

**5**

He _____ buy two books this week.  그는 이번 주에 책을 두 권 살 것이다.

① isn't going to
② is going to
③ can
④ may
⑤ should

**[6-7] 빈칸에 들어갈 수 있는 말을 차례대로 짝지은 것을 고르세요.**

**6**

> We _____ helping the little boy.
> Your father _____ washing his car.

① were – was     ② was – was     ③ were – does

④ were – were     ⑤ was – is

**7**

> It _____ rain tomorrow.
> He _____ study history today.

① is – is     ② is – is going to     ③ is going to – is

④ will – is     ⑤ will – won't

**8** 다음 우리말을 영어로 바르게 옮긴 것을 고르세요.

> 나는 그 비밀을 말하지 않을 거야.

① I am going to telling the secret.     ② I won't telling the secret.

③ I will tell the secret.     ④ I'm not going to tell the secret.

⑤ I am not going tell the secret.

**9** 질문과 대답이 어울리지 <u>않는</u> 것을 고르세요.

① **A:** Is your sister going to study math?

    **B:** Yes, she is.

② **A:** What were you buying then?

    **B:** Yes, I was.

③ **A:** Where was he going last night?

    **B:** He was going home.

④ **A:** Are they listening to music?

    **B:** No, they aren't.

⑤ **A:** Were you playing soccer?

    **B:** Yes, we were.

**10** 다음 대답에 대한 질문으로 알맞은 것을 고르세요.

> **Q:** _____.
> **A:** I'm taking a photo.

① How are you?　　　　　　② How do you do?
③ What are you doing?　　　④ Where are you?
⑤ What were you doing?

**11** 다음 중 밑줄 친 부분의 쓰임이 잘못된 것을 고르세요.

① Jason is writing a letter.
② They are drinking milk.
③ Dennis is swim in the ocean.
④ She is playing tennis.
⑤ Mom is baking some cake.

**12** 다음 질문에 대한 대답으로 알맞지 <u>않은</u> 것을 고르세요.

> **A:** What is Ashley doing?
> **B:** _____.

① She's doing her homework.　　② She's going to go to Seoul.
③ She's studying English.　　　　④ She's washing her face.
⑤ She's reading a book.

**13** 다음 중 <u>잘못된</u> 문장을 <u>두 개</u> 고르세요.
① She is reads a book.
② Are you playing soccer?
③ The old man wasn't running.
④ Matt is playing the piano.
⑤ Was he makes a doll?

**14** 밑줄 친 부분의 쓰임이 나머지 넷과 <u>다른</u> 것을 고르세요.

① He's going to take a shower.

② He's going to buy a table.

③ He's going to help his mother.

④ He's going to the school.

⑤ He's going to go home.

**15** 빈칸에 공통으로 들어갈 수 있는 것을 <u>두 개</u> 고르세요.

> A: I _____ buy some candies.
>
> B: _____ you help me?

① may[May]　　　　② will[Will]　　　　③ do[Do]

④ can[Can]　　　　⑤ must[Must]

**[16-17]** 괄호 안의 말을 사용하여 대화를 완성하세요.

**16** Q: What were you doing? 너는 무엇을 하고 있었니? (swim)

A: I _____. 나는 수영을 하고 있었어.

**17** Q: When will Zen leave? 젠은 언제 떠나니? (this Friday)

A: He _____. 그는 이번 금요일에 떠날 거야.

**[18-20]** 괄호 안의 지시대로 문장을 바꿔 쓸 때 빈칸에 알맞은 말을 쓰세요.

**18** She plays the piano. 그녀는 피아노를 연주한다. (현재 진행)

→ She _____.

**19** They will go to the island. 그들은 섬에 갈 것이다. (부정문)

→ They _____.

**20** Sean was studying math. 션은 수학 공부 중이었다. (의문문)

→ _____?

**c** 비교급 만들기 ❸    3음절 이상의 형용사를 비교급으로 만들 때에는 형용사 앞에 more를 붙인다.

---

3음절 이상의 형용사 → 「more + 형용사」

| | |
|---|---|
| beautiful → **more** beautiful<br>delicious → **more** delicious<br>interesting → **more** interesting<br>famous → **more** famous<br>important → **more** important<br>useful → **more** useful | This book is **more interesting** than *Harry Potter*. 이 책은 〈해리 포터〉**보다** **재미있다**.<br>Yours looks **more delicious** than mine. 네 것이 내 거**보다** **맛있어** 보인다.<br>He was **more famous** in Europe. 그는 유럽에서 **더 유명했다**. |

**TIP s**
음절: p.196 ⇨ 〈표 1〉 참조

**?Q** 빈칸에 다음 형용사의 비교급과 우리말 뜻을 쓰세요.

**1** diligent  부지런한    →    _____  _____

**2** careful  조심스러운    →    _____  _____

**3** expensive  비싼    →    _____  _____

---

**d** 비교급 만들기 ❹    규칙과 전혀 다른 비교급을 쓰는 형용사도 있다.

| | |
|---|---|
| good → **better**<br>bad/ill → **worse**<br>many/much → **more**<br>little → **less**<br>far → **farther/further** | I need **more** flour. (나는) 밀가루가 더 필요하다.<br>It is **less** than five dollars.<br>그것은 5달러도 안 한다.<br>Finally, he made a **better** movie.<br>결국 그는 더 좋은 영화를 만들었다. |

**?Q** 괄호 안에서 알맞은 말을 고르세요.

**1** I need (mucher / more) butter.  (나는) 버터가 더 필요하다.

**2** He made a (better / gooder) song.  그는 더 좋은 노래를 만들었다.

**3** She feels (iller / worse) today.  그녀는 오늘 몸이 더 안 좋다.

# Check up

간단한 쓰기 연습을 통해 앞에서 배운 내용을 확인해 보세요.

**A** 빈칸에 다음 형용사의 비교급을 쓰세요.

1 beautiful → 　　　　　　　　2 exciting → 　　　　　　

3 delicious → 　　　　　　　　4 good → 　　　　　　

5 little → 　　　　　　　　6 interesting → 　　　　　　

7 famous → 　　　　　　　　8 many → 　　　　　　

9 bad → 　　　　　　　　10 useful → 　　　　　　

**B** 우리말과 같은 뜻이 되도록 빈칸에 알맞은 말을 쓰세요.

1 아빠는 더 좋은 안경을 샀다.

　⇨ Dad bought 　　　　　　　　 glasses.

2 나는 펜보다 책을 많이 가지고 있다.

　⇨ I have 　　　　　　　　 books than pens.

3 그는 (남)동생보다 유명했다.

　⇨ He was 　　　　　　　　 than his brother.

4 스콧의 왼쪽 다리는 더 나빠졌다.

　⇨ Scot's left leg was 　　　　　　　　.

5 새 컴퓨터는 이것보다 유용할 것이다.

　⇨ The new computer will be 　　　　　　　　 than this.

# Build up

**A** 빈칸에 알맞은 영어 단어와 우리말 뜻을 함께 쓰세요.

| 형용사 | 비교급 |
|---|---|
| big 큰 | bigger 더 큰 |
| heavy 무거운 | 1 |
| bad 나쁜 | 2 |
| 3 | better 더 좋은 |
| much (양이) 많은 | 4 |
| 5 | more difficult 더 어려운 |
| shy 수줍은 | 6 |

**B** 밑줄 친 곳을 바르게 고쳐 쓰세요.

1  Seoul is <u>hoter</u> than Busan today.  오늘은 서울이 부산보다 덥다.

　　　　　　　　　　　　　　→　　　　　　　　　　

2  This river looks <u>largier</u> than Hangang.  이 강은 한강보다 넓어 보인다.

　　　　　　　　　　　　　　→　　　　　　　　　　

3  I feel <u>gooder</u>.  몸이 좋아진 것 같다.

　　　　　　　　　　　　　　→　　　　　　　　　　

4  Ellie is his <u>more young</u> sister.  엘리는 그의 (여)동생이다.

　　　　　　　　　　　　　　→　　　　　　　　　　

5  Her shoes are <u>expensiver</u> than mine.  그녀의 신발은 내 거보다 비싸다.

　　　　　　　　　　　　　　→

**C** 우리말에 맞게 괄호 안의 단어를 알맞은 형태로 바꿔 쓰세요.

1  오늘은 어제보다 춥다.

⇨ Today is _____ than yesterday. (cold)

2  잭은 수리보다 뚱뚱하다.

⇨ Jack is _____ than Suri. (fat)

3  그 경기는 결승전보다 흥미진진할 것이다.

⇨ This match will be _____ than the final. (exciting)

4  우리는 더 큰 배를 탔다.

⇨ We got in the _____ ship. (big)

5  이 가방이 저 상자들보다 무겁다.

⇨ This bag is _____ than those boxes. (heavy)

**D** 보기의 형용사를 사용하여 빈칸에 알맞은 말을 쓰세요.

| long 긴 | famous 유명한 | heavy 무거운 | fast 빠른 |
|---|---|---|---|

1  A banana is longer than an apple. An apple is longer than a tooth.

→ A banana is _____ a tooth.

2  A cheetah is faster than a wolf. A wolf is faster than a dog.

→ A cheetah is _____ a dog.

3  My mom wasn't so famous. My dad was very famous.

→ My dad was _____ my mom.

4  This bag is very heavy. That bag isn't so heavy.

→ This bag is _____ that bag.

# 02 부사의 비교급

부사의 비교급은 기본적으로 형용사의 비교급과 형태가 동일하다.

## ⓐ 비교급 만들기 ❶

대부분의 부사에 -(e)r을 붙여 비교급을 만들 수 있으며 비교하는 대상 앞에 than을 쓴다.

| 「부사 + -(e)r」 더 ~하게 | |
|---|---|
| fast → fast**er**<br>long → long**er**<br>hard → hard**er**<br>high → high**er**<br>late → lat**er** | This cat can jump **higher** than I. 이 고양이는 **나보다 높이** 뛸 수 있다.<br>He ran **longer** than Jay. 그는 제이**보다 오래** 달렸다.<br>I studied **harder**. 나는 더 **열심히** 공부했다.<br>Andy arrived **later** than Sam. 앤디는 샘**보다 늦게** 도착했다.<br>She is running **faster** than her dog. 그녀는 그녀의 개**보다 빨리** 달리고 있다. |

**❓Q** 빈칸에 알맞은 말을 고르세요.

**1** I slept (longer / longr) than Mom. 나는 엄마보다 늦게까지 잤다.

**2** The train ran (fastr / faster) than the bus. 그 기차는 버스보다 빨리 달렸다.

## ⓑ 비교급 만들기 ❷

-y로 끝나는 부사는 y를 i로 바꾸고 -er을 붙인다.

| 「-y」 → 「-ier」 | |
|---|---|
| early → earl**ier** | They left **earlier** than we. 그들은 우리**보다 먼저** 떠났다.<br>I took midterm exam **a week earlier.**<br>나는 **일주일 전에** 중간고사를 보았다.<br>You should leave home **earlier.** (너는) 집에서 **좀 더 일찍** 나오는 게 좋겠어. |

**TIPs** a week earlier는 '일주일 먼저' 라는 뜻도 되지만 주로 '일주일 전에' 라는 의미로 쓴다.

**❓Q** 빈칸에 알맞은 말을 쓰세요.

**1** 나는 오늘 좀 더 일찍 일어났다. ➡ I got up _____ today.

**2** 집에 좀 더 일찍 가는 게 어때? ➡ Why don't you go home _____ ?

# Check up a-b

간단한 쓰기 연습을 통해 앞에서 배운 내용을 확인해 보세요.

## A 다음 부사의 비교급을 쓰세요.

1 fast 빨리 →

2 late 늦게 →

3 long 오래 →

4 thick 두껍게 →

5 early 일찍 →

6 thin 얇게 →

7 hard 열심히 →

8 wide 활짝, 크게 →

## B 우리말과 같은 뜻이 되도록 괄호 안의 단어를 빈칸에 알맞게 쓰세요.

1 나는 좀 더 일찍 학교에 왔다.

⇨ I came to school _____. (early)

2 닉은 더 열심히 훈련을 했다.

⇨ Nick trained _____. (hard)

3 (너는) 빵을 좀 더 두껍게 써는 게 좋겠어.

⇨ You should cut the bread _____. (thick)

4 입을 좀 더 크게 벌리는 게 어때?

⇨ Why don't you open your mouth _____? (wide)

5 그 새는 이 나무보다 높이 날 수 있어.

⇨ The bird can fly _____ than this tree. (high)

**c** 비교급 만들기 ❸  형용사에 -ly를 붙여 만든 부사를 비교급으로 만들 때에는 부사 앞에 more를 붙인다.

「형용사 + -ly」 → 「more + 부사」

| | |
|---|---|
| usefully → **more** usefully | I arrived **more quickly**. 나는 좀 더 **빨리** 도착했다. |
| quickly → **more** quickly | He sang **more loudly**. 그는 더 **크게** 노래를 불렀다. |
| loudly → **more** loudly | You should walk **more carefully** on ice. |
| carefully → **more** carefully | 얼음 위에서는 더 **조심스럽게** 걷는 게 좋아. |

**TIPs** 음절: p.196 ⇨ 〈표 1〉 참조

**?Q** 빈칸에 다음 부사의 비교급과 우리말 뜻을 쓰세요.

**1** beautifully 아름답게  → _____  _____

**2** slowly 천천히  → _____  _____

**3** heavily 무겁게  → _____  _____

**d** 비교급 만들기 ❹  규칙과 전혀 다른 비교급을 쓰는 부사도 있다.

| | |
|---|---|
| **well → better** | He plays soccer **better** than I. 그는 나**보다** 축구를 **잘**한다. |
| **badly/ill → worse** | Can you tell me once **more**? 한 번 더 말해 줄래? |
| **much → more** | I read **less** than before. 나는 전**보다** 책을 **덜** 읽는다. |
| **little → less** | Which do you like **better** – roses or lilies? |
| **far → farther/further** | 장미와 백합 중 뭘 **더** 좋아하니? |
| | Jane walked **farther** than I. |
| | 제인은 나**보다 멀리** 걸었다. |

**TIPs** Which do you like better? 에서 better는 '더 잘'이라는 뜻이 아니고, 무엇을 더 좋아하냐고 물을 때 관용적으로 쓰는 표현이다.

**?Q** 괄호 안에서 알맞은 말을 고르세요.

**1** You had better eat salt (less / littler). (너는) 소금을 덜 먹는 게 좋겠어.

**2** I like Evgeny (more / mucher) than his father.

  나는 예브게니를 그의 아버지보다 더 좋아한다.

# Check up c-d

간단한 쓰기 연습을 통해 앞에서 배운 내용을 확인해 보세요.

**A** 빈칸에 다음 부사의 비교급을 쓰세요.

1 badly → 

2 largely → 

3 shyly → 

4 softly → 

5 little → 

6 quickly → 

7 slowly → 

8 much → 

9 loudly → 

10 well → 

**B** 우리말과 같은 뜻이 되도록 주어진 말을 빈칸에 알맞게 쓰세요.

1 나는 자전거를 더욱 빠르게 탔다. (quickly)

  ⇨ I rode my bike                        .

2 우리는 최근 설탕을 더 적게 먹는다. (little)

  ⇨ We eat sugar                        lately.

3 다른 사람의 말을 좀 더 주의 깊게 듣는 게 좋아. (carefully)

  ⇨ You should listen                        to others.

4 제니는 소냐보다 큰 소리로 말하고 있다. (loudly)

  ⇨ Jenny is speaking                        than Sonya.

5 (나는) 빵을 좀 더 먹는 게 좋겠어. (much)

  ⇨ I should eat bread                        .

# Build up

**A** 빈칸에 알맞은 영어 단어와 우리말 뜻을 함께 쓰세요.

| 부사 | 비교급 |
| --- | --- |
| badly  나쁘게 | 1 |
| well  잘 | 2 |
| early  일찍 | 3 |
| 4 | more  더 (많이) |
| 5 | faster  더 빠르게/빨리 |
| loudly  (소리가) 크게 | 6 |

**B** 밑줄 친 곳을 바르게 고쳐 쓰세요.

1  The kite is flying <u>high</u>.  그 연은 더 높이 날아가고 있다.

　　　　　　　　　 →

2  The wind was blowing <u>strongly</u>.  바람이 더 강하게 불고 있었다.

　　　　　　　　　 →

3  She plays tennis <u>weller</u> than me.  그녀는 나보다 테니스를 잘 친다.

　　　　　　　　　 →

4  Can I drink juice <u>mucher</u>?  주스 좀 더 마실 수 있을까?

　　　　　　　　　 →

5  Denny got up <u>more early</u> today.  데니는 오늘 더 일찍 일어났다.

　　　　　　　　　 →

**C** 우리말에 맞게 괄호 안의 단어를 알맞은 형태로 바꿔 쓰세요.

1 그들은 나보다 많이 먹었니?

⇨ Did they eat              than me? (much)

2 설명서를 좀 더 주의 깊게 읽는 게 좋아.

⇨ You should read the manual              . (carefully)

3 마이클은 악어보다 빠르게 헤엄칠 수 있니?

⇨ Can Michael swim              than a crocodile? (fast)

4 준과 켄 중 누가 더 적게 먹니?

⇨ Who eats              , June or Ken? (little)

5 (나는) 지난 주보다 공부를 열심히 해야 해.

⇨ I have to study              than last week. (hard)

**D** 보기의 부사를 사용하여 빈칸에 알맞은 말을 쓰세요.

| late | early | little | much |
|---|---|---|---|

1 Hanna got up at seven. Min-ji got up at seven thirty.

→ Hanna got up              Min-ji.

2 This box arrived at four fifteen. That box arrived at five.

→ That box arrived              this box.

3 I drank two glasses of milk. Hye-in drank a glass of milk.

→ I drank milk              Hye-in.

4 Snow White ate two apples. Cinderella ate three apples.

→ Snow White ate apples              Cinderella.

# 형용사의 최상급

형용사의 최상급은 '가장 ~한'이라는 의미를 표현할 때 쓴다. 최상급을 만드는 방법은 비교급과 마찬가지로 몇 가지 원칙이 있어서 별도로 익혀야 한다.

## ⓐ 최상급 만들기 ❶

대부분의 형용사에 -(e)st를 붙여 최상급을 만들 수 있으며 항상 관사 the를 앞에 쓴다.

「the + 형용사 + -(e)st」 가장 ~한

| | |
|---|---|
| tall → **the** tall**est**<br>hot → **the** hott**est**<br>old → **the** old**est**<br>high → **the** high**est** | I'm **the tallest** in my class.<br>나는 우리 반에서 **제일 키가 크다**.<br>We will go to **the highest** mountain in the world.<br>우리는 세계에서 **가장 높은** 산에 갈 것이다. |

TIPs
Doubling Rules: p.196 ⇨ 〈표 2〉 참조

❓ 괄호 안의 말을 빈칸에 알맞게 쓰세요.

**1** I was the _____ in my family. (short)

나는 우리 가족 중 키가 제일 작았다.

**2** Seoul is the _____ city in Korea. (big)

서울은 한국에서 가장 큰 도시이다.

## ⓑ 최상급 만들기 ❷

-y로 끝나는 형용사는 y를 i로 바꾸고 -est를 붙인다.

「-y」 → 「the + -iest」

| | |
|---|---|
| happy → **the** happ**iest**<br>busy → **the** bus**iest**<br>easy → **the** eas**iest**<br>dirty → **the** dirt**iest**<br>shy → the shy**est** | History is **the easiest** for me. 나에게는 역사가 **가장 쉽다**.<br>Emma was **the busiest** in this town.<br>이 동네에서 엠마가 **가장 바빴다**.<br>My desk is **the dirtiest** in my class.<br>우리 반에서 내 책상이 **가장 더럽다**. |

TIPs
shy는 -y로 끝나지만 최상급은 shyest로 쓴다.

❓ 빈칸에 다음 형용사의 최상급과 우리말 뜻을 쓰세요.

**1** healthy 건강한 → _____ _____

**2** lazy 게으른 → _____ _____

**3** pretty 귀여운 → _____ _____

# Check up a-b

**A** 다음 형용사의 최상급을 쓰세요.

1 big → the ▢ 2 cold → the ▢

3 heavy → the ▢ 4 easy → the ▢

5 young → the ▢ 6 healthy → the ▢

7 old → the ▢ 8 hot → the ▢

9 happy → the ▢ 10 tall → the ▢

**B** 우리말과 같은 뜻이 되도록 괄호 안의 단어를 빈칸에 알맞게 쓰세요.

1 나는 우리 학교에서 제일 키가 작다.

⇨ I am ▢ ▢ in my school. (short)

2 레오는 우리 반에서 가장 똑똑하다.

⇨ Leo is ▢ ▢ in my class. (smart)

3 황제 펭귄은 가장 큰 펭귄이다.

⇨ Emperor penguins are ▢ ▢ penguins. (big)

4 그에게는 작문이 가장 쉬웠다.

⇨ Writing was ▢ ▢ for him. (easy)

5 금, 루비, 다이아몬드 중 어느 것이 가장 단단하니?

⇨ Which is ▢ ▢ , gold, ruby, or diamond? (hard)

**c** 최상급 만들기 ❸  3음절 이상의 형용사를 최상급으로 만들 때에는 형용사 앞에 the most를 붙인다.

| 3음절 이상의 형용사 → 「the + most + 형용사」 | |
| --- | --- |
| beautiful → **the most** beautiful<br>delicious → **the most** delicious<br>interesting → **the most** interesting<br>famous → **the most** famous | It was **the most delicious** food.<br>그것은 **가장 맛있는** 음식이었다.<br>Titanic is **the most interesting** movie<br>**for me.** 나에게는 〈타이타닉〉이 **가장 재미있는** 영화이다. |

**TIPs**
음절: p.196 ⇨ 〈표 1〉 참조

**❓** 빈칸에 다음 형용사의 최상급을 쓰세요.

**1** dangerous 위험한 → _____

**2** careful 조심스러운 → _____

**3** expensive 비싼 → _____

**4** familiar 익숙한 → _____

**d** 최상급 만들기 ❹  규칙과 전혀 다른 최상급을 쓰는 형용사도 있다.

| | |
| --- | --- |
| **good** → **the best**<br>**bad/ill** → **the worst**<br>**many/much** → **the most**<br>**little** → **the least**<br>**far** → **the farthest/furthest** | I'm **the best** soccer player in my class.<br>나는 우리 반 **최고의** 축구 선수이다.<br>It was **the worst** trip for me.<br>나에게는 **최악의** 여행이었다.<br>Joey ate **the least** pizza.<br>조이가 피자를 **가장 적게** 먹었다. |

**❓** 빈칸에 알맞은 말을 쓰세요.

**1** James had the _____ gold in town.

제임스는 마을에서 가장 많은 금을 갖고 있었다.

**2** This is the _____ way.  이게 가장 먼 길이다.

**3** Adam drank the _____ coffee in our table.

아담은 우리 테이블에서 커피를 가장 적게 마셨다.

# Check up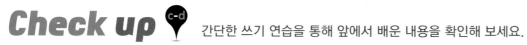

간단한 쓰기 연습을 통해 앞에서 배운 내용을 확인해 보세요.

**A** 빈칸에 다음 형용사의 최상급을 쓰세요.

1 beautiful

→

2 exciting

→

3 delicious

→

4 good

→

5 little

→

6 far

→

7 famous

→

8 many

→

9 bad

→

10 useful

→

**B** 우리말과 같은 뜻이 되도록 주어진 말을 빈칸에 알맞은 형태로 쓰세요.

1 랜달은 팀 내 최고의 투수였다. (good)

⇨ Randall was _____ _____ pitcher in his team.

2 서울은 한국에서 가장 유명한 도시이다. (famous)

⇨ Seoul is _____ _____ _____ city in Korea.

3 그녀는 세상에서 가장 재미있는 영화를 만들 것이다. (interesting)

⇨ She will make _____ _____ _____ movie in the world.

4 나는 우리 반에서 가장 많은 가방을 갖고 있다. (many)

⇨ I have _____ _____ bags in my class.

5 그 왕은 세상에서 가장 맛있는 케이크를 요구했다. (delicious)

⇨ The king asked _____ _____ _____ cake in the world.

# Build up

이번 Lesson에서 배운 내용을 토대로 작문 실력을 키워 보세요.

**A** 빈칸에 알맞은 영어 단어와 우리말 뜻을 함께 쓰세요.

| 형용사 | 최상급 |
|---|---|
| big 큰 | the biggest 가장 큰 |
| heavy 무거운 | 1 |
| bad 나쁜 | 2 |
| good 좋은 | 3 |
| 4 | the most (수가) 가장 많은 |
| difficult 어려운 | 5 |
| 6 | the shyest 가장 수줍은 |

**B** 밑줄 친 곳을 바르게 고쳐 쓰세요.

1 Today is <u>coldest</u> day this year.  올 들어 오늘이 가장 추운 날이다.

　　　　　　　　　　→　　　　　　　　　　

2 Jen was <u>the thinst</u> in my school.  젠은 우리 학교에서 가장 날씬했다.

　　　　　　　　　　→　　　　　　　　　　

3 That white rabbit is <u>the farst</u> place.  저 흰 토끼가 가장 먼 곳에 있다.

　　　　　　　　　　→　　　　　　　　　　

4 This is <u>expensivest</u> bag in the store.  이것이 가게에서 제일 비싼 가방이다.

　　　　　　　　　　→　　　　　　　　　　

5 Henry spent <u>the lessest</u> money.  헨리는 가장 적은 돈을 썼다.

　　　　　　　　　　→

**C** 우리말에 맞게 괄호 안의 단어를 알맞은 형태로 바꿔 쓰세요.

1 미키는 세상에서 가장 귀여운 쥐이다.

⇨ Mickey is _____ mouse in the world. (cute)

2 샘은 우리 학교에서 가장 잘생긴 남자아이다.

⇨ Sam is _____ boy in my school. (handsome)

3 여기가 런던에서 가장 넓은 공원이다.

⇨ This is _____ park in London. (large)

4 나는 우리 반에서 가장 많은 책을 읽었다.

⇨ I read _____ books in my class. (many)

5 우리는 세계에서 가장 못생긴 물고기를 찾을 것이다.

⇨ We will find _____ fish in the world. (ugly)

**D** 틀린 곳을 찾아 바른 문장으로 고쳐 쓰세요

1 I will be the goodest singer in Korea.  나는 한국 최고의 가수가 될 것이다.

→ _____

2 Who carried the most heavy box?  누가 가장 무거운 상자를 옮겼니?

→ _____

3 Which dog is the smarttest?  어떤 개가 가장 똑똑하니?

→ _____

4 She was happiest woman.  그녀는 가장 행복한 여자였다.

→ _____

5 Can I have the most thin bread?  제일 얇은 빵을 먹어도 되니?

→ _____

# 부사의 최상급

부사의 최상급은 기본적으로 형용사의 최상급과 형태가 동일하다.

## ⓐ 최상급 만들기 ❶

부사에 -(e)st를 붙여 최상급을 만들 수 있으며 관사 the를 앞에 쓴다.

「the + 부사 + -(e)st」 가장 ~하게

| | |
|---|---|
| fast → **the** fast**est**<br>long → **the** long**est**<br>hard → **the** hard**est**<br>high → **the** high**est**<br>late → **the** lat**est** | Who runs **the fastest**? 누가 가장 빨리 달리니?<br>I got up **the latest** in my family.<br>우리 가족 중 내가 **제일 늦게** 일어났다.<br>She used this computer **the longest**.<br>그녀가 이 컴퓨터를 **가장 오래** 사용했다. |

### ❓ 빈칸에 알맞은 말을 쓰세요.

**1** I studied the _____ in my class.

나는 우리 반에서 가장 공부를 열심히 했다.

**2** Bobby arrived the _____.

보비가 제일 늦게 도착했다.

**3** Sam jumps the _____ in our basketball team.

샘은 우리 농구 팀에서 가장 높이 점프한다.

## ⓑ 최상급 만들기 ❷

-y로 끝나는 부사는 y를 i로 바꾸고 -est를 붙인다.

「-y」 → 「the + -iest」

| | |
|---|---|
| early → **the earliest** | Joan came **the earliest**. 조앤이 **가장 일찍** 왔다.<br>I went to bed **the earliest** in my family.<br>나는 우리 집에서 **제일 먼저** 잠자리에 든다. |

### ❓ 빈칸에 알맞은 말을 쓰세요.

**1** 누가 가장 일찍 왔니? ⊙ Who came the _____?

**2** 그는 점심을 제일 빨리 먹었다. ⊙ He had lunch the _____.

**3** 조이가 제일 먼저 출발할 거니? ⊙ Will Joey leave the _____?

# Check up a-b

간단한 쓰기 연습을 통해 앞에서 배운 내용을 확인해 보세요.

**A** 다음 부사의 최상급을 쓰세요.

1 fast → 　　　　　　 2 late → 　　　　　　

3 long → 　　　　　　 4 thick → 　　　　　　

5 early → 　　　　　　 6 thin → 　　　　　　

7 hard → 　　　　　　 8 wide → 　　　　　　

**B** 우리말과 같은 뜻이 되도록 괄호 안의 단어를 빈칸에 알맞게 쓰세요.

1 나는 우리 학교에서 제일 빨리 달린다.

⇨ I run 　　　　　 　　　　　 in my school. (fast)

2 한스가 빵을 가장 얇게 썰었다.

⇨ Hans cut the bread 　　　　　 　　　　　. (thin)

3 누가 가장 먼저 출발했니?

⇨ Who left 　　　　　 　　　　　? (early)

4 어떤 새가 가장 높이 나니?

⇨ Which bird flies 　　　　　 　　　　　? (high)

5 이 버스가 가장 늦게 도착했다.

⇨ This bus arrived 　　　　　 　　　　　. (late)

**c** 최상급 만들기 ❸    형용사에 -ly를 붙여 만든 부사를 최상급으로 만들 때에는 부사 앞에 the most 를 붙인다.

「형용사 + -ly」→「the + most + 부사」

| | |
|---|---|
| usefully → **the most** usefully | **I arrived the most quickly.** |
| quickly → **the most** quickly | 나는 **제일 빨리** 도착했다. |
| loudly → **the most** loudly | **He sang the most loudly.** |
| shortly → **the most** shortly | 그는 **가장 큰 소리로** 노래를 불렀다. |
| slowly → **the most** slowly | **Who runs the most slowly?** |
| | 누가 **가장 느리게** 달리니? |

**?Q** 빈칸에 다음 부사의 최상급과 우리말 뜻을 쓰세요.

**1** beautifully 아름답게  → _____

**2** carefully 조심스럽게  → _____

**3** heavily 무겁게  → _____

**d** 최상급 만들기 ❹    규칙과 전혀 다른 최상급을 쓰는 부사도 있다.

| | |
|---|---|
| well → **the best** | **He plays soccer the best in France.** |
| badly/ill → **the worst** | 그는 프랑스에서 축구를 **제일 잘**한다. |
| much → **the most** | **Which do you like the best?** |
| little → **the least** | (너는) 어떤 것을 **가장** 좋아하니? |
| far → **the farthest/furthest** | |

**?Q** 괄호 안에서 알맞은 말을 고르세요.

**1** He had better eat salt the (lesst / least).

그는 소금을 가장 적게 먹는 것이 좋다.

**2** We played the (worst / worsest) today. 우리는 오늘 가장 못했다.

**3** Who lives the (farst / farthest) from the school?

누가 학교에서 가장 멀리 사니?

# Check up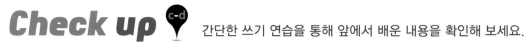

간단한 쓰기 연습을 통해 앞에서 배운 내용을 확인해 보세요.

**A** 빈칸에 다음 부사의 최상급을 쓰세요.

1 badly → _____

2 largely → _____

3 shyly → _____

4 softly → _____

5 little → _____

6 quickly → _____

7 widely → _____

8 much → _____

9 loudly → _____

10 well → _____

**B** 우리말과 같은 뜻이 되도록 빈칸에 알맞은 말을 쓰세요.

1 해리가 우리 반에서 제일 느리게 달렸다.

　⇨ Harry ran _____ in my class. (slowly)

2 그들은 사과를 가장 적게 먹었다.

　⇨ They ate apples _____. (little)

3 그녀는 세상에서 가장 부드러운 미소를 지었다.

　⇨ She smiled _____ in the world. (softly)

4 네가 이 학교에서 가장 야구를 잘하니?

　⇨ Do you play baseball _____ in this school? (well)

5 누가 가장 큰 소리로 노래하니?

　⇨ Who sings _____? (loudly)

## Build up

**A** 빈칸에 알맞은 영어 단어와 우리말 뜻을 함께 쓰세요.

| 부사 | 최상급 |
|---|---|
| 1 | the best  가장 잘 |
| badly  나쁘게 | 2 |
| much  많이 | 3 |
| early  일찍 | 4 |
| 5 | the fastest  가장 빠르게/빨리 |
| low  낮게 | 6 |

**B** 밑줄 친 곳을 바르게 고쳐 쓰세요.

1  My kite is flying <u>the most high</u>.  내 연이 가장 높이 날고 있다.

                 → 

2  Jack built houses <u>the most strong</u> in town.  잭은 동네에서 집을 가장 튼튼하게 지었다.

                 → 

3  I play badminton <u>the worsest</u>.  나는 배드민턴을 제일 못 친다.

                 → 

4  Dad will arrive home <u>the most early</u>.  아빠가 제일 먼저 집에 도착할 것이다.

                 → 

5  I got up <u>the most latest</u> today.  오늘은 내가 제일 늦게 일어났다.

                 →

**C** 우리말에 맞게 괄호 안의 단어를 알맞은 형태로 바꿔 쓰세요.

1 누가 제일 많이 먹을까?

⇨ Who will eat _____? (much)

2 누구 편지가 가장 일찍 올까?

⇨ Whose letter will arrive _____? (early)

3 그는 항상 가장 바쁘게 일한다.

⇨ He always works _____. (busily)

4 너희 반에서 누가 제일 공부를 열심히 했니?

⇨ Which student studied _____? (hard)

5 (나는) 종종 우리 가족 중에서 가장 늦게 일어난다.

⇨ I often get up _____ in my family. (late)

**D** 틀린 곳을 찾아 바른 문장으로 고쳐 쓰세요.

1 John speaks English the wellest in my class.  존은 우리 반에서 영어를 제일 잘한다.

→ _____.

2 Who cut the grass the quickliest?  누가 잔디를 제일 빨리 깎았니?

→ _____?

3 I'm skiing the slowliest.  나는 제일 느리게 스키를 타고 있다.

→ _____.

4 Who made a snowman the beautifulliest?  누가 눈사람을 가장 예쁘게 만들었니?

→ _____?

5 This penguin took care of its baby well.  이 펭귄이 새끼를 가장 잘 돌봤다.

→ _____.

# Review Test

**1** 형용사의 비교급이 <u>잘못</u> 짝지어진 것을 고르세요.

① pretty – prettier  ② good – better  ③ long – longer
④ thin – thiner  ⑤ tall – taller

**2** 부사의 최상급이 알맞게 짝지어진 것을 고르세요.

① quickly – the quickliest
② much – the muchest
③ early – the most early
④ fast – the fastest
⑤ badly – the most badly

**3** 형용사의 원급 – 비교급 – 최상급이 알맞게 짝지어진 것을 고르세요.

① wise – more wise – the most wise
② famous – famouser – the famousest
③ good – gooder – the goodest
④ smart – smarter – the smartest
⑤ young – more young – the most young

**4** 빈칸에 알맞은 것을 고르세요.

Mike is taller _____ Jessie.

① the  ② a  ③ more
④ not  ⑤ than

**5** 우리말을 영어로 바르게 옮긴 것을 고르세요.

① 키가 가장 작은 소년 → the shorttest boy
② 가장 더운 날씨 → the most hot weather
③ 가장 못생긴 사과 → the most ugly apple
④ 가장 빠른 비행기 → the fastest airplane
⑤ 가장 무거운 방망이 → the most heavy bat

**6** 다음 중 바르지 <u>않은</u> 것을 고르세요.

① He can swim more quickly than Willie.

② Cathy is the thinnest girl in my class.

③ Which book is the interestingest?

④ My dog ran faster than Luna's dog.

⑤ I was shorter than my little sister.

**7** 다음 중 올바른 문장을 <u>두 개</u> 고르세요.

① She reached the mountaintop earlier than I.

② This book is heavier that book.

③ My mom runs faster than my dad.

④ Emily sings the wellest in my class.

⑤ They will go to highest mountain in the world.

**8** 빈칸에 공통으로 들어갈 수 있는 말을 고르세요.

> Jessica is _____ tallest girl in my school.
> Helen has a dog. I like _____ dog so much.

① the                ② her                ③ than

④ my                ⑤ that

**9** 밑줄 친 부분이 바르지 <u>않은</u> 것을 고르세요.

① Jackie is <u>the shortest</u> in my family.

② Julie carried <u>heavier bag</u> than her brother.

③ Anna cooks <u>better</u> than Carol.

④ I was flying <u>higher</u> than a mountain in my dream.

⑤ He usually gets up <u>the most early</u> in his family.

[10-12] 빈칸에 알맞은 말을 고르세요.

**10**

The red pencil is _____.

① the longest      ② the most longly      ③ the most long

④ longest      ⑤ most long

**11**

Sammy left home _____ I today.

① the earliest      ② more early than      ③ the most early

④ earlier than      ⑤ the earliest than

**12**

This watch is _____ in this store.

① the most expensive      ② the expensiver than      ③ the expensives

④ more expensive than      ⑤ expensiver than

**13** 다음 우리말을 영어로 바르게 옮긴 것을 고르세요.

(너는) 콘 샐러드와 감자튀김 중 무엇을 더 좋아하니?

① Which do you like weller, corn salad or French fries?

② Which do you like better, corn salad or French fries?

③ Which do you like the best, corn salad or French fries?

④ Which do you like the wellest, corn salad or French fries?

⑤ Which do you like more well, corn salad or French fries?

**14** 다음 문장을 우리말로 바르게 옮긴 것을 고르세요.

> **Which season do you like best?**

① (너는) 어느 계절을 제일 좋아하니?
② (너는) 어느 계절을 더 좋아하니?
③ (너는) 어느 계절을 제일 잘 좋아하니?
④ (너는) 어느 계절을 안 좋아하니?
⑤ (너는) 어느 계절을 제일 안 좋아하니?

**15** 다음 표의 내용과 일치하지 <u>않는</u> 것을 고르세요.

| Jessica | Crystal | Tiffany | Yu-ri |
|---------|---------|---------|-------|
| 52kg | 54kg | 55kg | 58kg |

① Yu-ri is heavier than Crystal.
② Tiffany is heavier than Jessica.
③ Yu-ri is the heaviest.
④ Jessica is the lightest.
⑤ Crystal is lighter than Jessica.

**[16-20]** 우리말과 같은 뜻이 되도록 괄호 안의 말을 빈칸에 알맞게 쓰세요.

**16** 서울은 부산보다 큰 도시이다.

⇨ Seoul is ＿＿＿＿＿＿＿＿＿＿＿ Busan. [ big, city ]

**17** 호주에 가장 많은 코알라가 산다.

⇨ ＿＿＿＿＿＿＿＿＿＿＿ live in Australia. [ many, koala ]

**18** 나는 우리 학교에서 가장 빨리 달린다.

⇨ I ＿＿＿＿＿＿＿＿＿＿＿ in my school. [ fast, run ]

**19** 김연아는 세계에서 가장 높은 점수를 받았다.

⇨ Kim Yu-na got ＿＿＿＿＿＿＿＿＿＿＿ in the world. [ high, score ]

**20** 박지성은 라이언 긱스보다 먼 거리를 달렸다.

⇨ Park Ji-sung ＿＿＿＿＿＿＿＿＿＿＿ Ryan Giggs. [ far, run ]

# One more tab 3

# He is one of the greatest soccer players from South Korea.
## 한국 출신의 가장 위대한 축구 선수'들' 중 '한 명'?

박지성 선수나 김연아 선수에 대한 외신 기사 인용문을 읽어 보면, 종종 one of the greatest players나 one of the greatest skaters처럼 one of에 최상급을 붙인 표현을 접하게 됩니다. 일반적으로 우리말로 '가장 위대한 선수들의 하나'라고 해석을 하게 되니, 이거 참 이상합니다. 아니, 어떻게 해서 가장 위대한 선수가 여러 명일 수가 있나요?

이 역시 영어와 우리말의 표현의 차이 때문입니다. 우리말은 '가장'이라는 표현은 '유일한'이라는 표현과 비슷한 뜻으로 사용됩니다. 그러니 '가장 위대한 선수'는 복수가 될 수 없죠. 하지만, 영어에서 최상급은 '아주, 매우'등의 의미가 더해진 표현으로 자주 쓰입니다. 오히려 이 경우가 더 일반적이죠. 굉장히 위대한 선수, 즉 당대에는 적수가 없을 만큼 매우 뛰어난 선수이지만 그 종목의 역사를 보면 각 시대를 대표하는 선수가 항상 있게 마련입니다. 영어는 그 선수들을 서로 비교하여 그중 최고를 표현하는 대신, 그 선수들을 집합적으로 묶어 표현하는 것이지요.

❶ **Cha Bum-keun was the greatest soccer player from South Korea in 1980's.**
차범근은 1980년대 한국 출신의 가장 위대한 축구 선수였다.

❷ **Park Ji-sung is the greatest soccer player from South Korea now.**
박지성은 현재 한국 출신의 가장 위대한 축구 선수이다.

❸ **Park Ji-sung is one of the greatest soccer players from South Korea.**
(그러니) 박지성은 한국 출신의 가장 위대한 축구 선수들 중 한 명이다.

영어의 시제 사용과도 연결성이 있는 것 같지 않나요? 단순 시제를 딱 그 시점에서의 일을 표현할 때에만 쓰듯이 말입니다.

# IV. 전치사

전치사는 **명사 앞**에 써서 명사에 **장소, 시간, 방향, 도구** 등 다양한 의미를 더해 주는 품사이다.
한정사와 마찬가지로 전치사만 쓸 수는 없고 **반드시 뒤에 명사를 써야 한다**. 이렇게 전치사와 명사를 함께 쓰는 것을
전치사구라고 하는데, 거의 모든 전치사구는 문장에서 **부사의 역할**을 하며 대체로 **문장의 가장 뒤**에 쓴다.

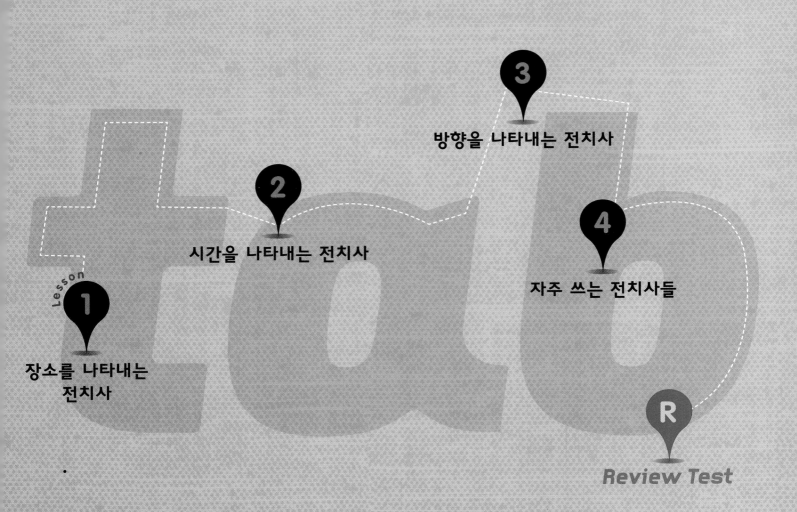

**3**

방향을 나타내는 전치사

**2**

시간을 나타내는 전치사

**4**

자주 쓰는 전치사들

Lesson
**1**

장소를 나타내는
전치사

**R**

Review Test

# 01 장소를 나타내는 전치사

문장에서 '~에(서)'라는 장소를 뜻하는 표현을 할 때 장소를 나타내는 전치사와 명사를 함께 쓴다.

## ⓐ in, on, under

명사 앞에 써서 각각 '~ 안에(서)', '~ 위에(서)', '~ 아래에(서)'라는 의미를 더하는 전치사이다.

| in ~ 안에 | in Korea, in New York, in the room, in the box |
|---|---|
| on ~ 위에 | on the street, on the desk, on the table, on the floor |
| under ~ 아래에 | under the desk, under the table, under the tree |

**TIPs** on은 '~ 위에'라는 의미이지만, 표면 위에 붙어 있다는 의미로만 쓸 수 있다.

**❓Q 빈칸에 알맞은 전치사를 고르세요.**

1 서울에(서) ➡ (under / in / on) Seoul

2 선반 위에(서) ➡ (under / in / on) the shelf

3 의자 아래에(서) ➡ (under / in / on) the chair

## ⓑ next to, between

명사 앞에 써서 각각 '~ 옆에(서)'와 '~ 사이에(서)'라는 의미를 더하는 전치사이다.

| next to ~ 옆에(서) | next to the table, next to the door, next to me |
|---|---|
| between ~ 사이에(서) | between the two houses, between the bank and the station, between Sonya and Jackie |

**❓Q 우리말과 같은 뜻이 되도록 빈칸에 알맞은 전치사를 쓰세요.**

1 샘과 톰 사이에(서) ➡ _____ Sam and Tom

2 은행 옆에(서) ➡ _____ the bank

3 저 두 남자들 사이에(서) ➡ _____ those two men

4 창문 옆에(서) ➡ _____ the window

# Check up a-b
간단한 쓰기 연습을 통해 앞에서 배운 내용을 확인해 보세요.

Ⓐ 우리말과 같은 뜻이 되도록 빈칸에 알맞은 전치사를 쓰세요.

1  동굴 안에(서)  ⇨               the cave

2  나무 아래에(서)  ⇨               the tree

3  탁자 위에(서)  ⇨               the table

4  그녀 옆에(서)  ⇨               her

5  두 아기 사이에(서)  ⇨               the two babies

6  산 아래에(서)  ⇨               the mountain

7  거실(안)에(서)  ⇨               the living room

8  지하철역 옆에(서)  ⇨               the subway station

Ⓑ 밑줄 친 부분을 우리말로 옮기세요.

1  We were in the kitchen.  ⇨

2  I found my puppy under the table.  ⇨

3  They're studying in the classroom.  ⇨

4  My parents are next to me.  ⇨

5  She was between the school and the park.  ⇨

**c** behind,
in front of

명사 앞에 써서 각각 '~ 뒤에(서)'와 '~ 앞에(서)'라는 의미를 더하는 전치사
이다.

| behind ~ 뒤에(서) | behind the tree, behind the door, behind me |
|---|---|
| in front of ~ 앞에(서) | in front of the school, in front of my house, in front of me |

**TIPs** 전치사 뒤에 대명사를 쓸 때에는 대부분 목적격을 쓴다.

**?Q** 우리말과 같은 뜻이 되도록 빈칸에 알맞은 전치사를 쓰세요.

**1** 우리 집 앞에(서) ➜ ＿＿＿＿＿＿＿＿ my house

**2** 노란 차 뒤에(서) ➜ ＿＿＿＿＿＿＿＿ the yellow car

**3** 창문 앞에(서) ➜ ＿＿＿＿＿＿＿＿ the window

**4** 우리 뒤에(서) ➜ ＿＿＿＿＿＿＿＿ us

**d** at, near

명사 앞에 써서 각각 '~에(서)'와 '~ 가까이에(서)'라는 의미를 더하는 전치사
이다.

| at ~ 에(서) | at the store, at the bus stop, at the restaurant |
|---|---|
| near ~ 가까이에(서) | near the park, near the river, near you |

**TIPs** 우리말로 in도 '~에(서)'로 해석되는 경우가 있는데, 이 경우는 '어떠
한 공간 안'이라는 의미를 내포하는 경우이고, at은 특정한 지점을 가리킨다.

**?Q** 우리말과 같은 뜻이 되도록 빈칸에 알맞은 전치사를 쓰세요.

**1** 역에(서) ➜ ＿＿＿＿ the station

**2** 그녀 가까이에(서) ➜ ＿＿＿＿ her

**3** 은행에(서) ➜ ＿＿＿＿ the bank

**4** 오래된 나무 가까이에(서) ➜ ＿＿＿＿ the old tree

# Check up ♥ c-d 간단한 쓰기 연습을 통해 앞에서 배운 내용을 확인해 보세요.

**A** 우리말과 같은 뜻이 되도록 빈칸에 알맞은 전치사를 쓰세요.

1  우리 학교 앞에(서)  ⇨  _____ my school

2  산 가까이에(서)  ⇨  _____ the mountain

3  서울 근처에(서)  ⇨  _____ Seoul

4  트럭 두 대 뒤에(서)  ⇨  _____ the two trucks

5  버스 정류장에(서)  ⇨  _____ the bus stop

6  산 정상에(서)  ⇨  _____ the mountaintop

7  문 뒤에(서)  ⇨  _____ the door

8  지하철역 앞에(서)  ⇨  _____ the subway station

**B** 밑줄 친 부분을 우리말로 옮기세요.

1  I met her <u>at the airport</u>.  ⇨  _____

2  Susie is working <u>at the restaurant</u>.  ⇨  _____

3  They were dancing <u>behind the building</u>.  ⇨  _____

4  The airplane looked bigger <u>near the airport</u>.  ⇨  _____

5  Why don't we meet <u>in front of the hospital</u>?  ⇨  _____

**A** 우리말과 같은 뜻이 되도록 빈칸에 알맞은 전치사를 쓰세요.

1 공원 옆에(서)　⇨　＿＿＿＿＿＿＿＿　the park

2 약국 앞에(서)　⇨　＿＿＿＿＿＿＿＿　the pharmacy

3 나무 뒤에(서)　⇨　＿＿＿＿＿＿＿＿　the tree

4 역 가까이에(서)　⇨　＿＿＿＿＿＿＿＿　the station

5 버스 정류장에(서)　⇨　＿＿＿＿＿＿＿＿　the bus stop

6 의자 아래에(서)　⇨　＿＿＿＿＿＿＿＿　the chair

7 책상 위에(서)　⇨　＿＿＿＿＿＿＿＿　the desk

8 션과 유리 사이에(서)　⇨　＿＿＿＿＿＿＿＿　Sean and Yu-ri

**B** 밑줄 친 부분을 바르게 고쳐 쓰세요.

1 My house is <u>in front of</u> the school.　우리 집은 학교 가까이에 있다.

　＿＿＿＿＿＿＿＿ → ＿＿＿＿＿＿＿＿

2 Many fish live <u>behind</u> the ocean.　바닷속에는 많은 물고기가 산다.

　＿＿＿＿＿＿＿＿ → ＿＿＿＿＿＿＿＿

3 Jenny always has lunch <u>at</u> me.　제니는 항상 내 옆에서 점심을 먹는다.

　＿＿＿＿＿＿＿＿ → ＿＿＿＿＿＿＿＿

4 My cat is sleeping <u>in</u> the sofa.　우리 고양이는 소파 위에서 자고 있다.

　＿＿＿＿＿＿＿＿ → ＿＿＿＿＿＿＿＿

5 I found the book <u>on</u> the table.　나는 그 책을 탁자 밑에서 찾았다.

　＿＿＿＿＿＿＿＿ → ＿＿＿＿＿＿＿＿

**C** 우리말과 같은 뜻이 되도록 보기에서 알맞은 말을 골라 빈칸에 쓰세요.

> behind the bus                        next to your mother
> in front of the hospital            between two cities

1  우리는 그 병원 앞에서 만났다.

   ⇨ We met _____ .

2  어머니 옆에서 자는 게 어때?

   ⇨ Why don't you sleep _____ ?

3  누가 버스 뒤에 있었니?

   ⇨ Who was _____ ?

4  그 강은 두 도시 사이로 흐른다.

   ⇨ The river runs _____ .


**D** 보기와 같이 다음 두 문장을 한 문장으로 바꿔 쓰세요.

> **I met Sunny. We were in the park.**   →   **I met Sunny in the park.**

1  Jen met Tom. They were at the bus stop.

   → _____

2  Did you see the old tree? It is near the station.

   → _____

3  Sally is studying. She is in the library.

   → _____

4  He sat. He was behind the man.

   → _____

5  I found my glasses. They were on the desk.

   → _____

# 02 시간을 나타내는 전치사

문장에서 구체적인 때를 표현하려면 시간을 나타내는 전치사와 명사를 함께 쓴다.

## ⓐ in, on, at

세 가지 모두 '~에'라는 뜻이지만, 함께 쓰는 명사의 범위가 다르다.

| in + 연도, 계절, 달 | in 2012, in spring, in May<br>in the morning/afternoon/evening |
| on + 요일, 날짜, 특정한 날 | on Monday, on September 7th, on Christmas Day |
| at + 시간 | at six o'clock, at noon, at five thirty<br>at night/dawn |

우리말과 같은 뜻이 되도록 빈칸에 알맞은 전치사를 쓰세요.

**1** 일요일에 ➡ _____ Sunday

**2** 1492년에 ➡ _____ 1492

**3** 7시 15분에 ➡ _____ seven fifteen

## ⓑ for, during

둘 다 '~ 동안'이라는 뜻이지만, for 뒤에는 구체적인 기간을 쓰는 반면, during 뒤에는 어떠한 사건이나 계절 등의 특정한 범위를 쓴다.

| for + 며칠, 몇 년 등 | for three hours, for ten days, for thirty years, for a week |
| during + 계절, 사건 등 | during the summer, during the World War II, during the vacation, during the movie, during the weekend, during the week |

**TIPs** a week는 seven days와 같은 말이므로 7일이라는 구체적인 기간이고, the week는 특정한 어느 주간을 지칭하는 말이다.

우리말과 같은 뜻이 되도록 빈칸에 알맞은 전치사를 쓰세요.

**1** 일주일 동안 ➡ _____ a week

**2** 겨울 방학 동안 ➡ _____ the winter vacation

**3** 3년 동안 ➡ _____ three years

# Check up a-b

간단한 쓰기 연습을 통해 앞에서 배운 내용을 확인해 보세요.

**A** 우리말과 같은 뜻이 되도록 빈칸에 알맞은 전치사를 쓰세요.

1 2002년에 ⇨ ⬜⬜⬜ 2002

2 지난 5년 동안 ⇨ ⬜⬜⬜ the last five years

3 밤에 ⇨ ⬜⬜⬜ night

4 아침에 ⇨ ⬜⬜⬜ the morning

5 6월 3일에 ⇨ ⬜⬜⬜ June 3rd

6 금요일에 ⇨ ⬜⬜⬜ Friday

7 여름 방학 동안 ⇨ ⬜⬜⬜ the summer vacation

8 지난 주말 동안 ⇨ ⬜⬜⬜ the last weekend


**B** 밑줄 친 부분을 우리말로 옮기세요.

1 Mr. Hamilton visited his son <u>during last week</u>. ⇨ ⬜⬜⬜

2 We will stay here <u>for two days</u>. ⇨ ⬜⬜⬜

3 Will they leave <u>on July 1st</u>? ⇨ ⬜⬜⬜

4 Mom drinks coffee <u>in the morning</u>. ⇨ ⬜⬜⬜

5 I got up <u>at seven o'clock</u>. ⇨ ⬜⬜⬜

Lesson 02 시간을 나타내는 전치사

**c before, after**  명사 앞에 써서 각각 '~ 전에'와 '~ 후에'라는 의미를 더하는 전치사이다.

| before ~ 전에 | before the day, before lunch, before sunset, before an hour |
|---|---|
| after ~ 후에 | after school, after dinner, after sunrise, after a year |

**?Q** 다음을 우리말로 옮기세요.

**1** after lunch  ◎  _____

**2** before sunrise  ◎  _____

**3** after two hours  ◎  _____

**4** before a month  ◎  _____

**d this, last, next**  명사 앞에 써서 각각 '이번', '지난', '다음'이라는 의미를 더하는 전치사이다.

| this 이번 | this morning, this week, this month, this spring, this year |
|---|---|
| last 지난 | last night, last week, last month, last year, last summer |
| next 다음 | next Monday, next week, next month, next year, next fall |

**TIPS** this, last, next와 함께 쓸 때에는 명사 앞에 관사를 붙이지 않는다.

**?Q** 우리말과 같은 뜻이 되도록 빈칸에 알맞은 전치사를 쓰세요.

**1** 다음 주에 만나자.  ◎  See you _____ week.

**2** 나는 오늘 아침에 젠을 만났다.  ◎  I met Jen _____ morning.

**3** 그는 다음 달에 떠날 것이다.  ◎  He will leave _____ month.

**4** (너희는) 지난주에 축구를 했니?  ◎  Did you play soccer _____ week?

# Check up ⚲ c-d

간단한 쓰기 연습을 통해 앞에서 배운 내용을 확인해 보세요.

## A 우리말과 같은 뜻이 되도록 빈칸에 알맞은 전치사를 쓰세요.

1 이듬해에  ⇨           year

2 아침 식사 후에  ⇨           breakfast

3 이번 달에  ⇨           month

4 올 8월에  ⇨           August

5 지난 겨울에  ⇨           winter

6 9시가 되기 전에  ⇨           nine o'clock

7 다음 학기에  ⇨           semester

8 2주 후에  ⇨           two weeks

## B 밑줄 친 부분을 우리말로 옮기세요.

1 I went to Japan before three years.  ⇨

2 We will visit you next Sunday.  ⇨

3 They left after lunch.  ⇨

4 Ye-eun became a teacher last year.  ⇨

5 She saw a doctor this morning.  ⇨

# Build up

이번 Lesson에서 배운 내용을 토대로 작문 실력을 키워 보세요.

**A** 우리말과 같은 뜻이 되도록 빈칸에 알맞은 전치사를 쓰세요.

1 오후에 ⇨ _____ the afternoon

2 오늘 아침에 ⇨ _____ morning

3 밤에 ⇨ _____ night

4 여름 방학 동안 ⇨ _____ the summer vacation

5 지난밤에 ⇨ _____ night

6 다음 달에 ⇨ _____ month

7 이틀 동안 ⇨ _____ two days

8 3주 후에 ⇨ _____ three weeks

**B** 밑줄 친 부분을 바르게 고쳐 쓰세요.

1 Christine will come <u>before</u> two months.  크리스틴은 두 달 후에 올 것이다.

_____ → _____

2 They left <u>this</u> week.  그들은 지난주에 떠났다.

_____ → _____

3 Tom sleeps <u>during</u> seven hours a day.  톰은 하루에 일곱 시간 잔다.

_____ → _____

4 We will visit her <u>this</u> summer.  우리는 내년 여름에 그녀를 방문할 것이다.

_____ → _____

5 The train departed <u>last</u> two minutes.  기차는 2분 전에 출발했다.

_____ → _____

**C** 우리말과 같은 뜻이 되도록 보기에서 알맞은 말을 골라 빈칸에 쓰세요.

| next Wednesday | during winter vacation | this morning | in 2008 |

1 나는 오늘 아침에 가방을 잃어버렸다.

⇨ I lost my bag _____ .

2 다음 수요일에 나를 도와줄 수 있니?

⇨ Can you help me _____ ?

3 그의 아버지는 2008년에 돌아가셨다.

⇨ His father passed away _____ .

4 줄리는 겨울 방학 동안 한국어를 배웠다.

⇨ Julie learned Korean _____ .


**D** 다음 우리말을 괄호 안의 단어를 사용하여 영어로 옮기세요.

1 톰은 지난 월요일에 친구를 만났다.

⇨ Tom _____ . [meet, his friend, Monday]

2 대니는 오늘 아침에 방을 청소했다.

⇨ Danny _____ . [clean, his room, morning]

3 두 시간 후에 공원으로 올 수 있니?

⇨ Can you _____ ? [come to, park, two hours]

4 2월 8일에 소풍 가자!

⇨ Let's _____ ! [go for a picnic, February 8th]

5 저녁 식사 전에 숙제를 하는 게 좋겠어.

⇨ I should _____ . [do my homework, dinner]

# 03

# 방향을 나타내는 전치사

문장에서 ~이 향하는 방향을 표현하려면 **방향을 나타내는 전치사**와 명사를 함께 쓴다.

## ⓐ to, from, from A to B

to와 from은 명사 앞에 써서 각각 '~(으)로'와 '~(으)로부터'라는 의미를 더하는 전치사로, '~에서/부터 ~까지'를 표현하려면 「from A to B」로 쓰면 된다.

| to ~(으)로 | to London, to the right, to the ground |
| --- | --- |
| from ~(으)로부터 | from the bank, from the sky, from New York |
| from A to B<br>~에서/부터 ~까지 | from here to your home, from Seoul to Daejeon |

**?Q** 우리말과 같은 뜻이 되도록 빈칸에 알맞은 전치사를 쓰세요.

**1** 학교로　　　　　　　◯　　＿＿＿＿＿＿ the school

**2** 남쪽에서　　　　　　◯　　＿＿＿＿＿＿ the south

**3** 한국에서 프랑스까지　◯　　＿＿＿＿＿＿ Korea to France

## ⓑ into, out of

명사와 함께 써서 각각 '~ 안으로'와 '~ 밖으로'의 의미를 더하는 전치사이다.

| into ~ 안으로 | into the box, into the house, into the pond |
| --- | --- |
| out of ~ 밖으로 | out of the box, out of the house, out of the classroom, out of the car |

**?Q** 우리말과 같은 뜻이 되도록 빈칸에 알맞은 전치사를 쓰세요.

**1** 기차 밖으로　　◯　　＿＿＿＿＿＿＿＿ the train

**2** 수영장 안으로　◯　　＿＿＿＿＿＿＿＿ the swimming pool

**3** 학교 밖으로　　◯　　＿＿＿＿＿＿＿＿ the school

# Check up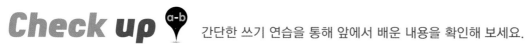

간단한 쓰기 연습을 통해 앞에서 배운 내용을 확인해 보세요.

## A  우리말과 같은 뜻이 되도록 빈칸에 알맞은 전치사를 쓰세요.

1 서울에서 대구까지 ⇨ _____ Seoul _____ Daegu

2 역으로부터 ⇨ _____ the station

3 물속으로 ⇨ _____ the water

4 나라 밖으로 ⇨ _____ the country

5 달을 향해 ⇨ _____ the moon

6 여기에서 런던까지 ⇨ _____ here _____ London

7 집 밖으로 ⇨ _____ the house

8 학교 안으로 ⇨ _____ the school

## B  밑줄 친 부분을 우리말로 옮기세요.

1 We went to Brazil last year. ⇨ _____

2 They will travel from Hong Kong to Bangkok. ⇨ _____

3 I threw the coin into the river. ⇨ _____

4 Ralph came out of the station. ⇨ _____

5 She got a letter from her mother. ⇨ _____

## ⓒ across, over

명사 앞에 써서 각각 '~을 가로질러서'와 '~ 너머/건너'라는 의미를 더하는 전치사이다.

| across ~을 가로질러서 | across the river, across the street, across the road |
|---|---|
| over ~ 너머/건너 | over the bridge, over the river, over the rainbow |

**?Q** 우리말과 같은 뜻이 되도록 빈칸에 알맞은 전치사를 쓰세요.

**1** 담 너머(로)    ➡    _____ the wall

**2** 도로를 가로질러서    ➡    _____ the road

**3** 바다 너머(로)    ➡    _____ the ocean

**4** 강을 가로질러서    ➡    _____ the river

## ⓓ up, down

명사 앞에 써서 각각 '~ 위로'와 '~ 아래로'라는 의미를 더하는 전치사이다.

| up ~ 위로 | up the stairs, up the roof, up the mountain |
|---|---|
| down ~ 아래로 | down the hill, down the stairs, down the mountain |

**?Q** 우리말과 같은 뜻이 되도록 빈칸에 알맞은 전치사를 쓰세요.

**1** 산 위로    ➡    _____ the mountain

**2** 산 아래로    ➡    _____ the mountain

**3** 지붕 위로    ➡    _____ the roof

**4** 지붕 아래로    ➡    _____ the roof

# Check up ♥ c-d 간단한 쓰기 연습을 통해 앞에서 배운 내용을 확인해 보세요.

**A** 우리말과 같은 뜻이 되도록 빈칸에 알맞은 전치사를 쓰세요.

1 이 산 너머로 ⇨ _____ this mountain

2 도로를 가로질러 ⇨ _____ the road

3 계단 위로 ⇨ _____ the stairs

4 다리 아래로 ⇨ _____ the bridge

5 다리 너머(로) ⇨ _____ the bridge

6 개울을 가로질러 ⇨ _____ the stream

7 바다 건너로 ⇨ _____ the ocean

8 산 아래로 ⇨ _____ the mountain

**B** 밑줄 친 부분을 우리말로 옮기세요.

1 I climbed <u>up the mountain</u>. ⇨ _____

2 We must not go <u>across this road</u>. ⇨ _____

3 Can I go <u>over this river</u>? ⇨ _____

4 He dropped his wallet <u>down the hole</u>. ⇨ _____

5 Luna threw her shoes <u>up the roof</u>. ⇨ _____

## Build up

이번 Lesson에서 배운 내용을 토대로 작문 실력을 키워 보세요.

**A** 우리말과 같은 뜻이 되도록 빈칸에 알맞은 전치사를 쓰세요.

1  운동장으로  ⇨  ⬜⬜⬜ the playground

2  강을 가로질러  ⇨  ⬜⬜⬜ the river

3  집 안으로  ⇨  ⬜⬜⬜ the house

4  언덕 위로  ⇨  ⬜⬜⬜ the hill

5  욕조 밖으로  ⇨  ⬜⬜⬜ the bathtub

6  역 너머로  ⇨  ⬜⬜⬜ the station

7  지붕 아래로  ⇨  ⬜⬜⬜ the roof

8  역에서 집까지  ⇨  ⬜⬜⬜ the station ⬜⬜⬜ home


**B** 밑줄 친 부분을 바르게 고쳐 쓰세요.

1  They went <u>from</u> the bookstore.  그들은 그 서점으로 갔다.

   ⬜⬜⬜  →  ⬜⬜⬜

2  Peter came <u>to</u> New York to Boston.  피터는 뉴욕에서 보스턴으로 왔다.

   ⬜⬜⬜  →  ⬜⬜⬜

3  I dropped my wallet <u>out of</u> the river.  나는 강 속에 지갑을 빠뜨렸다.

   ⬜⬜⬜  →  ⬜⬜⬜

4  She ran <u>up</u> the stairs.  그녀는 계단 아래로 달려갔다.

   ⬜⬜⬜  →  ⬜⬜⬜

5  Can I go <u>over</u> the road?  도로를 가로질러서 가도 돼요?

   ⬜⬜⬜  →  ⬜⬜⬜

**C** 우리말과 같은 뜻이 되도록 보기에서 알맞은 말을 골라 빈칸에 쓰세요.

| go down this mountain | came out of this house |
| go across this street | ran from home to the school |

1 나는 어제 집에서 학교까지 달려갔다.

⇨ I _____ yesterday.

2 그들은 이 산 아래로 갔니?

⇨ Did they _____ ?

3 이 거리를 가로질러 가는 게 좋겠어.

⇨ I should _____ .

4 한 시간 전에 누가 이 집에서 나왔습니까?

⇨ Who _____ before one hour?


**D** 다음 우리말을 괄호 안의 단어를 사용하여 영어로 옮기세요.

1 로라는 서울에서 청주로 이사했다.

⇨ Laura _____. [move, Seoul, Cheongju]

2 잭은 저 다리를 건너갔다.

⇨ Jack _____. [go, that bridge]

3 이 동네를 가로질러 가는 게 좋겠어.

⇨ I should _____. [go, this town]

4 (너는) 왜 다리 아래로 모자를 떨어뜨렸니?

⇨ Why did you _____? [drop, your hat, bridge]

5 그는 그 약을 물에 빠뜨렸다.

⇨ He _____. [drop, the medicine, water]

Lesson 3. 방향을 나타내는 전치사 **123**

# 자주 쓰는 전치사들

장소, 시간, 방향을 뜻하는 전치사 외에도 **다양한 의미를 가진** 여러 가지 전치사들이 있는데, 그중 가장 자주 쓰이는 전치사들의 의미와 쓰임을 알아보자.

## a about, on

명사 앞에 써서 '~에 대해/대한'이라는 같은 의미를 나타내는데, about은 포괄적으로 사용할 수 있지만, on은 보다 전문적인 경우이거나 토론의 주제인 경우에만 사용한다.

| about ~에 대해/대한 | about English, about your family, about cars |
| --- | --- |
| on ~에 대해/대한 | on science, on the issue, on Korean history |

**?Q** 다음을 우리말로 옮기세요.

**1** on Africa ➡ _____

**2** about 2PM ➡ _____

**3** about my birthday party ➡ _____

**4** on the nature ➡ _____

## b for, like

명사 앞에 써서 각각 '~을[를] 위해'와 '~처럼'이라는 의미를 더하는 전치사이다.

| for ~을[를] 위해 | for him, for dinner, for my English teacher |
| --- | --- |
| like ~처럼 | like a bird, like a tiger, like her |

**?Q** 우리말과 같은 뜻이 되도록 빈칸에 알맞은 전치사를 쓰세요.

**1** 우리 엄마를 위해 ➡ _____ my mom

**2** 새처럼 ➡ _____ a bird

**3** 물고기처럼 ➡ _____ a fish

**4** 친구를 위해 ➡ _____ my friend

# Check up a-b 간단한 쓰기 연습을 통해 앞에서 배운 내용을 확인해 보세요.

**A** 우리말에 맞게 괄호 안에서 알맞은 전치사를 골라 빈칸에 쓰세요.

1 나는 내 미래를 위해 공부한다.

⇨ I study _____ my future. (for / about)

2 지수는 그에 대해 아주 잘 알고 있다.

⇨ Ji-su knows _____ him very well. (for / about)

3 박태환은 물고기처럼 수영을 잘한다.

⇨ Park Tae-hwan swims well _____ a fish. (on / like)

4 그들은 기후 변화에 대해 토론했다.

⇨ They discussed _____ the climate change. (on / like)

5 앨리슨은 중국 역사에 대한 책을 읽고 있다.

⇨ Alison is reading a book _____ Chinese history. (for / on)

**B** 밑줄 친 부분을 우리말로 옮기세요.

1 He wrote a book on Korean history.  ⇨ _____

2 I baked some cookies for my friends.  ⇨ _____

3 She looked like a bird.  ⇨ _____

4 Will you help me like your dad?  ⇨ _____

5 Why don't we talk about the exam?  ⇨ _____

## C with, of

명사와 함께 써서 각각 '~와[과] 함께'와 '~의'라는 의미를 더하는 전치사이다.

| with ~와[과] 함께 | with my friend, with my sister, with us, with Paul and Jack |
|---|---|
| of ~의 | of the table, of my friend, of the family, of the country |

> **TIPs** 「of + 전치사」는 소유격 대신 쓸 수 있다.
> Jane's friend = a friend of Jane

**?Q** 우리말과 같은 뜻이 되도록 빈칸에 알맞은 전치사를 쓰세요.

1 가족과 함께 ➡ _____ my family

2 한국의 ➡ _____ Korea

3 영어 선생님과 함께 ➡ _____ my English teacher

4 학교의 ➡ _____ the school

## d with, by

명사 앞에 써서 각각 '~을[를] 가지고/~(으)로 (도구)'와 '~(으)로 (교통 및 통신 수단)'이라는 의미를 더하는 전치사이다.

| with ~을[를] 가지고/~으로 (도구) | with a pen, with a knife |
|---|---|
| by ~(으)로 (교통 및 통신 수단) | by taxi, by subway, by bus, by train, by foot<br>by phone, by letter, by email<br>by hand |

> **TIPs**
> • 다른 모든 도구는 with와 함께 쓰지만, '손으로'는 by hand를 쓴다.
> • by foot = on foot

**?Q** 우리말과 같은 뜻이 되도록 빈칸에 알맞은 전치사를 쓰세요.

1 지하철로 ➡ _____ subway

2 손으로 ➡ _____ hand

3 가위로 ➡ _____ scissors

4 물로 ➡ _____ water

# Check up ♥ c-d   간단한 쓰기 연습을 통해 앞에서 배운 내용을 확인해 보세요.

**A** 우리말에 맞게 괄호 안에서 알맞은 전치사를 골라 빈칸에 쓰세요.

1 나는 붓으로 그림을 그렸다.

⇨ I drew a picture _____ a paintbrush. (by / with)

2 우리는 학교까지 걸어간다.

⇨ We go to school _____ foot. (by / with)

3 조니는 신디의 병아리를 좋아한다.

⇨ Johnny likes a chick _____ Cindy. (with / of)

4 그들은 택시를 타고 병원에 갔다.

⇨ They went to the hospital _____ taxi. (by / with)

5 (너는) 어머니와 함께 여행을 하는 것이 좋겠어.

⇨ You should travel _____ your mother. (with / of)

**B** 밑줄 친 부분을 우리말로 옮기세요.

1 I heard the news <u>by phone</u>.   ⇨

2 Ginny will visit me <u>with her father</u>.   ⇨

3 He wrote a letter <u>with a blue pen</u>.   ⇨

4 Is Seoul the city <u>of Japan</u>?   ⇨

5 How can I make this <u>by hand</u>?   ⇨

**A** 우리말과 같은 뜻이 되도록 빈칸에 알맞은 전치사를 쓰세요.

1  자전거로            ⇨  [          ] bicycle

2  팩스로              ⇨  [          ] fax

3  언니를 위해          ⇨  [          ] my sister

4  붓으로              ⇨  [          ] a brush

5  손으로              ⇨  [          ] hand

6  올해의              ⇨  [          ] this year

7  수지에 대해          ⇨  [          ] Susie

8  한국 전쟁에 대해      ⇨  [          ] the Korean War

**B** 밑줄 친 부분을 바르게 고쳐 쓰세요.

1  Liz will go to Paris by Jane.  리즈는 제인과 함께 프랑스에 갈 것이다.
   [          ] → [          ]

2  I'm baking a cake of my dad.  나는 아빠를 위해 케이크를 굽고 있다.
   [          ] → [          ]

3  Emily went to the station with foot.  에밀리는 걸어서 역까지 갔다.
   [          ] → [          ]

4  We made a snowman with hand.  우리는 손으로 눈사람을 만들었다.
   [          ] → [          ]

5  Does James like a sister on Julie?  제임스는 줄리의 언니를 좋아하니?
   [          ] → [          ]

**C** 우리말과 같은 뜻이 되도록 보기에서 알맞은 말을 골라 빈칸에 쓰세요.

| about their wedding | by train | with your family | on the World War I |

1 우리는 기차를 타고 전주에 가고 있다.

⇨ We're going to Jeonju _____.

2 가족과 함께 여행을 가는 게 어때?

⇨ Why don't you go on a trip _____?

3 그는 1차 세계 대전에 대한 책을 읽었다.

⇨ He read a book _____.

4 샘과 줄리는 그들의 결혼에 대해 이야기했다.

⇨ Sam and Julie talked _____.

**D** 다음 우리말을 괄호 안의 단어를 사용하여 영어로 옮기세요.

1 지미는 부모님과 함께 동물원에 가고 있다.

⇨ Jimmy _____. [go to the zoo, his parents]

2 나는 오늘 가족을 위해 요리를 했다.

⇨ Today, I _____. [cook, my family]

3 베토벤은 독일의 음악가이다.

⇨ Beethoven _____. [be, musician, Germany]

4 자전거로 여행하자!

⇨ Let's _____! [travel, bicycle]

5 그는 수채 물감으로 그림을 그렸다.

⇨ He _____. [draw a picture, watercolor]

# Review Test

[1-2] 다음 빈칸에 공통으로 알맞은 것을 고르세요.

**1**

- Ann has lunch _____ noon.
- Mike met her _____ the bus stop.

① in            ② on            ③ at
④ of            ⑤ with

**2**

- We often skate _____ winter.
- Many fish are swimming _____ the river.

① in            ② on            ③ of
④ by            ⑤ with

[3-5] 다음 빈칸에 차례대로 알맞은 것을 고르세요.

**3**

- The horses ran _____ the fields.
- Will you tell me _____ your family?

① about – from       ② like – across       ③ out of – in
④ in – over       ⑤ across – about

**4**

- I can't climb _____ the tree.
- The bank is _____ the park.

① in – in       ② up – near       ③ into – over
④ next to – at       ⑤ with – like

**5**

- Jeremy traveled _____ train.
- So-hui was in New York _____ Christmas.

① from – on       ② by – in       ③ by – on
④ to – at       ⑤ in – with

**6** 다음 중 잘못된 문장을 고르세요.

① My house is next to the park.

② Let's meet at the shopping mall.

③ She brushed her teeth with dinner.

④ We played basketball with his friends.

⑤ He swims well like a fish.

**7** 다음 중 올바른 문장을 고르세요.

① The boy went with the swimming pool.

② An old lady is to the bus stop.

③ She drew the picture with a pen.

④ We go up school five times a week.

⑤ The bank is between the post office or the station.

**8** 밑줄 친 부분이 바르지 <u>않은</u> 것을 고르세요.

① We will go to Hong Kong <u>this summer</u>.

② The birds flew <u>over the sea</u>.

③ He dived <u>into the swimming pool</u>.

④ We go to school <u>with bus</u>.

⑤ Jessica and I met <u>in front of the building</u>.

[9-10] 우리말과 같은 뜻이 되도록 빈칸에 알맞은 말을 고르세요.

**9**

테리는 우리 영어 선생님의 아들이다.

⇨ Terry is the son _____ my English teacher.

① with          ② of          ③ to

④ for          ⑤ like

**10**

그들은 뉴욕에서 마이애미까지 기차로 갔다.

⇨ They went _____ New York to Miami by train.

① across        ② in        ③ to

④ from        ⑤ of

**11** 다음 빈칸에 공통으로 들어갈 수 있는 것을 고르세요.

- Denny played soccer _____ his friends.
- I wrote a letter _____ a colored pencil.

① with        ② of        ③ in

④ by        ⑤ to

**12** 밑줄 친 부분이 잘못된 것을 고르세요.

① He is going to leave this city on September 7th.

② Jessica was born in Seoul at 2001.

③ I will go to the river during the weekend.

④ My dad parked his car in front of his office.

⑤ We will go on a trip for five days.

**13** 빈칸에 들어갈 말이 순서대로 짝지어진 것을 고르세요.

- I traveled _____ train during the summer vacation.
- My house is not far _____ here.

① in  –  to        ② of  –  with        ③ by  –  in

④ on  –  by        ⑤ by  –  from

**14** 밑줄 친 with의 쓰임이 <u>다른</u> 것을 고르세요.

① She goes to school <u>with</u> her sister.

② Is Kristine <u>with</u> her parents?

③ He drew a picture <u>with</u> paint.

④ I played badminton <u>with</u> Dennis yesterday.

⑤ I watched the movie <u>with</u> my friends.

**15** 해석이 바르지 <u>않은</u> 것을 고르세요.

① The dog ran down the hill.  ⇨  그 개는 언덕을 달려 내려갔다.

② Do you know about cats?  ⇨  너는 고양이에 대해 아니?

③ The dog is behind the sofa.  ⇨  그 개는 소파 위에 있다.

④ He is between two shops.  ⇨  그는 두 가게 사이에 있다.

⑤ She swims well like a fish.  ⇨  그녀는 물고기처럼 수영을 잘한다.

**[16-20]** 우리말과 같은 뜻이 되도록 빈칸에 알맞은 말을 쓰세요.

**16** 메리는 역 앞에서 친구를 만났다.

⇨ Mary met her friend _____ the station.

**17** 아빠는 엄마를 위해 반지를 샀다.

⇨ Dad bought a ring _____ Mom.

**18** 그는 내 옆에 앉았다.

⇨ He sat down _____ me.

**19** 그 새들은 산 너머로 날아갔다.

⇨ The birds flew _____ the mountain.

**20** 크리스털은 차에서 내리는 중이었다.

⇨ Crystal was getting _____ the car.

# I am interested in soul music.에서의 in은 대체 무슨 뜻인가요?

Grammar tab에서 기껏 장소를 뜻하는 '~ 안에'라는 쓰임과 시간을 뜻하는 '연도, 계절' 등 앞에 붙이는 쓰임을 익혔는데, interested in soul music이라니 이건 대체 뭘까요? soul music은 음악의 한 장르일 뿐 장소도 시간도 아닙니다. 정확히 말하면 이때의 in은 별다른 뜻을 갖는 것이 아니라, be interested라는 동사 표현에 대상을 덧붙이기 위해 써 주는 일종의 기능어입니다. listen은 '듣다'라는 뜻이지만, 듣는 행동 그 자체만을 뜻할 뿐, 무엇을 듣는다는 목적어를 직접 붙여 쓸 수 없는 동사인데, listen에 to를 붙여 목적어를 쓰는 것도 이와 같은 것입니다.

영어에는 자동사와 타동사라는 것이 나누어져 있습니다. 우리말에 비해 명확하게 구분되어 있죠. 'be interested (흥미/관심이 있다), be excited (흥분하다), listen (듣다), wait(기다리다)'와 같은 동사들은 목적어 없이 단독으로 써도 서술어가 완성되는 자동사입니다. 자동사라는 말 자체가 '스스로, 자기'를 뜻하는 한자인 '자'를 붙인 말인 것도 이러한 이유에서입니다. 반대로 타동사의 '타'는 '남, 다른 것'을 뜻하는 글자입니다. '남이나 다른 것을 붙여 줘야 말이 완성된다'는 뜻입니다. 'hear(~을 듣다), like(~을 좋아하다)' 등의 동사가 여기에 해당됩니다. 사실 대부분의 동사는 타동사이거나 자동사나 타동사 둘 다 쓸 수 있습니다만, 우리말에 비해 자동사로만 쓰는 동사의 비율이 높을 뿐입니다.

**I'm interested in soul music.** 나는 소울 음악에 관심이 있다.

이 문장처럼 전치사가 공부한 것과 다른 쓰임인 경우는 대부분 자동사에 목적어를 붙이기 위해 쓰인 것이며 그 자체에 특별한 뜻은 없다는 것을 기억하면, 문장 해석에 도움이 많이 되겠죠?

# V. 동명사와 부정사

동명사는 「동사 원형 + -ing」의 형태로 동사의 성격을 가지면서 동시에 문장에서 명사의 역할을 한다.

부정사는 「to + 동사 원형」의 형태로 동명사와 마찬가지로 동사의 성격을 가지면서 동시에 문장에서 명사, 형용사, 부사의 역할을 한다.

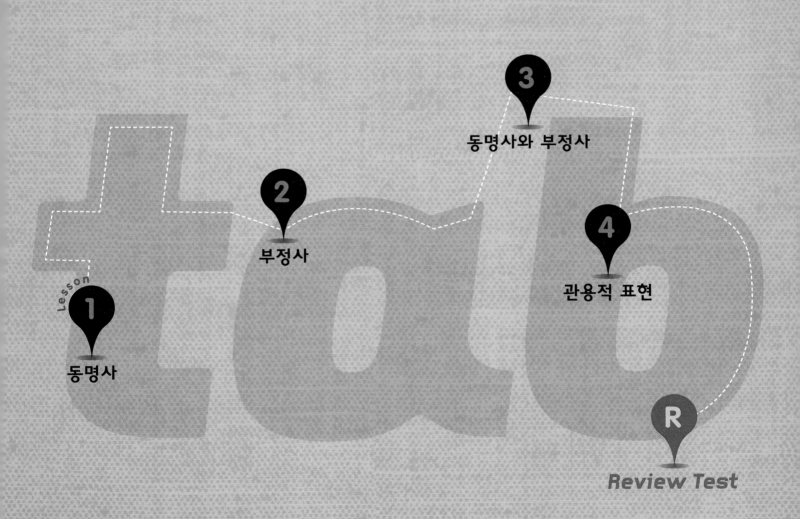

3 동명사와 부정사

2 부정사

Lesson 1 동명사

4 관용적 표현

R Review Test

# 동명사

동명사는 말 그대로 동사를 명사처럼 사용하는 것으로 '~하는 것' 또는 '~하기'와 같은 의미이며, 동사 원형에 -ing를 붙여서 동명사로 만든다.

## ⓐ 동명사 만들기

기본적으로 동사 원형에 -ing를 붙이는데 동사의 형태에 따라 몇 가지 원칙이 있지만, 앞서 진행 시제에서 배운 ~ing형과 동일한 형태이므로 별도로 익힐 필요는 없다.

| 대부분의 동사:<br>동사 원형 + -ing | go - go**ing**, read - read**ing** |
| --- | --- |
| -e로 끝나는 동사:<br>e를 빼고 + -ing | danc**e** - danc**ing**, tak**e** - tak**ing** |
| -ie로 끝나는 동사:<br>ie를 y로 바꾸고 + -ing | d**ie** - d**ying**, l**ie** - l**ying** |

> **TIPs**
> 동명사를 만들 때에도 Doubling Rule이 적용된다. p.196 ⇨ 〈표 2〉 참조

**❓Q** 다음 동사 원형을 동명사로 바꿔 쓰세요.

**1** swim 수영하다 → _____　　**2** make 만들다 → _____

**3** fly 날다　　　 → _____　　**4** tie 묶다, 매다 → _____

## ⓑ 문장에서의 역할 ❶

동명사는 명사와 마찬가지로 문장에서 주어와 보어의 역할을 할 수 있다.

| 주어 역할<br>~하는 것은/~하기는 | **Listening** is very important. 듣는 것은 매우 중요하다.<br>**Fishing** is fun. 낚시하는 것은 재미있다. |
| --- | --- |
| 보어 역할<br>~하는 것이다/~하기이다 | My hobby is **listening to music**. 내 취미는 음악을 듣는 것이다. |

**❓Q** 밑줄 친 부분이 주어로 쓰인 것에는 S, 보어로 쓰인 것에는 C를 쓰세요.

**1** Baking cookies is interesting. _____

**2** Flying is my dream. _____

**3** My goal was making a snowman. _____

# Check up a-b

간단한 쓰기 연습을 통해 앞에서 배운 내용을 확인해 보세요.

**A** 밑줄 친 부분을 우리말로 옮기세요.

1 <u>Speaking</u> is easier than doing.

    ⇨ ＿＿＿＿＿＿＿ 행동하는 것보다 쉽다.

2 My hobby is <u>playing soccer</u>.

    ⇨ 내 취미는 ＿＿＿＿＿＿＿ 이다.

3 <u>Reading a book</u> every day is a very good habit.

    ⇨ 매일 ＿＿＿＿＿＿＿ 매우 좋은 습관이다.

4 <u>Listening to music</u> is my hobby.

    ⇨ ＿＿＿＿＿＿＿ 내 취미이다.

5 My favorite thing is <u>watching a movie</u>.

    ⇨ 내가 가장 좋아하는 것은 ＿＿＿＿＿＿＿ 이다.


**B** 괄호 안에 주어진 동사를 동명사로 바꾸어 빈칸에 쓰세요.

1 My hobby is ＿＿＿＿＿＿＿ . (sing)
내 취미는 노래 부르는 것이다.

2 ＿＿＿＿＿＿＿ around the world is exciting. (travel)
세계를 여행하는 것은 흥미롭다.

3 Is her job ＿＿＿＿＿＿＿ paper dolls? (make)
그녀의 직업은 종이 인형을 만드는 것이니?

4 ＿＿＿＿＿＿＿ too long is not good for your health. (sit)
너무 오래 앉아 있는 것은 건강에 좋지 않다.

5 My favorite thing is ＿＿＿＿＿＿＿ on the grass. (lie)
내가 가장 좋아하는 것은 잔디밭 위에 누워 있는 것이다.

**c** **문장에서의 역할 ❷**

동명사는 '~하는 것을/~하기를'이라는 의미로 동사의 목적어 역할을 하기도 한다.

동사의 목적어 역할

I like **talking**.  나는 **말하는 것을** 좋아한다.
He enjoys **dancing**.  그는 **춤추는 것을** 즐긴다.
They stopped **walking**.  그들은 **걷는 것을** 멈췄다.

> **TIPs** 동명사를 목적어로 쓰는 동사:
> p.147 ⇨ 〈Lesson 3 동명사와 부정사〉 참조

**?Q** 다음을 우리말로 옮겨 쓰세요.

**1** finish doing homework  ◯  _____ 끝내다

**2** begin washing dishes  ◯  _____ 시작하다

**3** mind singing at night  ◯  _____ 꺼리다

**d** **문장에서의 역할 ❸**

명사와 마찬가지로 전치사 뒤에 써서 전치사구를 만들기도 한다.

전치사 + ~ing

She is good **at playing** tennis.
그녀는 테니스를 잘 친다.
I'm tired **of watching** the animation.
나는 그 만화 영화를 보는 것에 싫증났다.

> 자주 쓰는 자동사 + 전치사: p.200 ⇨ 〈표 10〉 참조

**?Q** 괄호 안의 동사를 빈칸에 알맞은 형태로 쓰세요.

**1** I'm sorry for _____ late. (be)

늦어서 미안해.

**2** I am interested in _____. (skate)

나는 스케이트 타는 것에 관심이 있다.

**3** He was proud of _____ his father. (help)

그는 아버지를 돕는 것이 자랑스러웠다.

# Check up  c-d

간단한 쓰기 연습을 통해 앞에서 배운 내용을 확인해 보세요.

**A** 밑줄 친 부분을 우리말로 옮기세요.

1 We enjoy <u>playing baseball</u>.

⇨ 우리는 〔          〕 즐긴다.

2 Henry likes <u>cooking</u>.

⇨ 헨리는 〔          〕 좋아한다.

3 She's good at <u>skiing</u>.

⇨ 그녀는 〔          〕 잘한다.

4 My mom is so proud of <u>helping</u> others.

⇨ 우리 엄마는 다른 사람을 〔          〕 매우 자랑스러워한다.

5 Why did you stop <u>laughing</u>?

⇨ (너는) 왜 〔          〕 멈췄니?

**B** 괄호 안에 주어진 동사를 동명사로 바꾸어 빈칸에 쓰세요.

1 Ms. Jackson enjoyed 〔          〕. (sing)
잭슨 씨는 노래하는 것을 즐겼다.

2 We didn't like 〔          〕 golf. (play)
우리는 골프 치는 것을 좋아하지 않았다.

3 They are tired of 〔          〕 TV. (watch)
그들은 TV 보는 것에 싫증이 난다.

4 I was so excited about 〔          〕 him. (meet)
나는 그를 만나는 것에 몹시 흥분됐다.

5 He never gave up 〔          〕. (study)
그는 결코 공부하는 것을 포기하지 않았다.

**A** 밑줄 친 부분을 바르게 고쳐 쓰세요.

1 My dad stopped <u>smoked</u> last year.  아빠는 작년에 담배를 끊었다.

         →         

2 I didn't give up <u>learn</u> ballet.  나는 발레 배우는 것을 포기하지 않았다.

         →         

3 Mr. Wilson was good at <u>draw</u>.  윌슨 씨는 그림 그리는 것에 능했다.

         →         

4 <u>Play</u> tennis is good for your health.  테니스 치는 것은 건강에 좋다.

         →         

5 My goal is <u>collect</u> all the cards.  내 목표는 카드를 전부 모으는 것이다.

         →         

**B** 보기에 주어진 말을 사용하여 빈칸에 알맞게 쓰세요.

| | |
|---|---|
| **ride a bicycle** 자전거를 타다 | **study hard** 열심히 공부하다 |
| **play chess** 체스를 두다 | **exercise regularly** 규칙적으로 운동하다 |

1 그의 지난해 목표는 규칙적으로 운동하는 것이었다.

   ⇨ His goal of last year was          .

2 우리는 자전거 타는 것을 매우 좋아한다.

   ⇨ We like          so much.

3 열심히 공부하는 것은 내게는 쉽지 않았다.

   ⇨          wasn't easy for me.

4 엄마는 체스 두는 것을 잘한다.

   ⇨ Mom is good at          .

**C** 괄호 안의 말을 사용하여 우리말과 같은 뜻이 되도록 문장을 완성하세요.

1 그는 먼저 숙제 하는 것을 끝내야 한다.

⇨ He has to ▢▢▢▢▢▢▢▢▢▢ his homework first. [finish, do]

2 나는 인형 만드는 것을 좋아했다.

⇨ I ▢▢▢▢▢▢▢▢ a doll. [like, make]

3 그녀는 밤에 전화하는 것을 좋아하지 않는다.

⇨ She ▢▢▢▢▢▢▢▢▢ at night. [like, call]

4 네 꿈은 이런 성을 짓는 거니?

⇨ Is your dream ▢▢▢▢▢▢▢▢▢ like this? [build a castle]

5 과식하는 것은 건강에 좋지 않다.

⇨ ▢▢▢▢▢▢▢▢▢ is not good for your health. [eat too much]

6 그들은 낚시하는 것을 꺼렸다.

⇨ They ▢▢▢▢▢▢▢▢ . [mind, fish]


**D** 틀린 곳을 찾아 바르게 고쳐 올바른 문장으로 쓰세요.

1 He is afraid of fail the exam.  그는 시험에 떨어지는 것이 두렵다.

→ _____ .

2 I enjoy dance.  나는 춤추는 것을 즐긴다.

→ _____ .

3 Eat fruit makes me happy.  과일 먹는 것은 나를 행복하게 만든다.

→ _____ .

4 Her hobby was play with her dogs.  그녀의 취미는 개들과 노는 것이었다.

→ _____ .

# 02 부정사

부정사는 동사에 to를 붙인 형태인데, 동사의 성질을 가지고 있으면서도 문장에서 동사가 아닌 명사, 형용사, 부사 등의 역할을 하며, 쓰임이 매우 다양하므로 유의해서 익혀야 한다.

## ⓐ 부정사 만들기

부정사는 동사 원형 앞에 to를 붙여 만드는 것으로 형태는 비교적 간단하다.

| to+동사 원형 | to learn<br>to be | to go<br>to collect | to make<br>to enjoy | to study<br>to do | to lie |
|---|---|---|---|---|---|

### ❓Q 다음 동사를 부정사로 바꿔 쓰세요.

**1** read 읽다 → _____  **2** stop 멈추다 → _____

**3** cut 자르다 → _____  **4** arrive 도착하다 → _____

**5** bake 굽다 → _____  **6** wash 씻다 → _____

## ⓑ 부정사의 쓰임 ❶

부정사는 동명사와 마찬가지로 문장에서 주어와 보어의 역할을 할 수 있다.

| 주어 역할 | **To read books** is interesting. 책을 읽는 것은 재미있다. |
|---|---|
| 보어 역할 | His hobby is **to read books**. 그의 취미는 책을 읽는 것이다. |

### ❓Q 다음 두 문장이 같은 뜻이 되도록 빈칸에 알맞은 말을 쓰세요.

**1** Riding a bike is exciting. 자전거 타는 것은 흥미롭다.

→ _____ a bike is exciting.

**2** My goal was getting a good score. 내 목표는 좋은 점수를 받는 것이었다.

→ My goal was _____ a good score.

# Check up <sup>a-b</sup>

간단한 쓰기 연습을 통해 앞에서 배운 내용을 확인해 보세요.

**A** 다음 두 문장이 같은 뜻이 되도록 빈칸에 알맞은 말을 쓰세요.

1 Making a snowman was fun.  눈사람 만드는 것은 즐거웠다.

   ⇨ ＿＿＿＿＿＿＿＿ a snowman was fun.

2 Fishing is too boring.  낚시하는 것은 너무 지루하다.

   ⇨ ＿＿＿＿＿＿＿＿ is too boring.

3 My hobby is collecting books.  내 취미는 책을 모으는 것이다.

   ⇨ My hobby is ＿＿＿＿＿＿＿ books.

4 Playing baseball was really hard.  야구하는 것은 정말 힘들었다.

   ⇨ ＿＿＿＿＿＿＿＿ baseball was really hard.

5 His job was baking cakes.  그의 직업은 케이크를 굽는 것이었다.

   ⇨ His job was ＿＿＿＿＿＿＿ cakes.


**B** 밑줄 친 부분을 우리말로 옮겨 쓰세요.

1 <u>To study</u> is helpful for our lives.

   ⇨ ＿＿＿＿＿＿＿＿ 우리의 삶에 도움이 된다.

2 <u>To read many books</u> makes me smarter.

   ⇨ ＿＿＿＿＿＿＿＿ 나를 더 똑똑하게 만든다.

3 My dream <u>was to eat</u> all the fruits in the world.

   ⇨ 내 꿈은 세상의 모든 과일을 ＿＿＿＿＿＿＿.

4 <u>To listen</u> carefully was very useful for her.

   ⇨ 주의 깊게 ＿＿＿＿＿＿＿ 그녀에게 매우 유용했다.

5 Their jobs <u>are to play soccer</u>.

   ⇨ 그들의 직업은 ＿＿＿＿＿＿＿.

**c** 부정사의 쓰임 ❷     부정사는 동명사와 마찬가지로 동사의 목적어 역할을 하기도 한다.

| 동사의 목적어 역할 | I like **to learn** English. 나는 영어를 배우는 것을 좋아한다.<br>She wants **to be** a doctor. 그녀는 의사가 되기를 원한다. |

> **TIPs** 부정사는 기본적으로 동명사가 하는 역할을 모두 할 수 있지만, 전치사의 목적어 역할은 할 수 없다.

**?Q** 다음 두 문장이 같은 뜻이 되도록 빈칸에 알맞은 말을 쓰세요.

**1** Wendy likes <u>riding</u> horses. 웬디는 말 타는 것을 좋아한다.

→ Wendy likes _____ horses.

**2** We will continue <u>growing</u> up. 우리는 성장을 계속할 것이다.

→ We will continue _____ up.

**d** 부정사의 쓰임 ❸     부정사는 '~하기 위해'라는 의미로도 쓸 수 있는데 부정사 앞에 in order를 붙여도 같은 뜻이 된다.

| 목적을 뜻하는 부사적 용법<br>~하기 위해 | She studied hard **to pass** the exam.<br>= She studied hard **in order to pass** the exam.<br>그녀는 시험에 **합격하기 위해** 열심히 공부했다. |

**?Q** 다음 두 문장이 같은 뜻이 되도록 빈칸에 알맞은 말을 쓰세요.

**1** I went to New York to learn English. 나는 영어를 배우려고 뉴욕에 갔다.

→ I went to New York _____ to learn English.

**2** He came in order to meet me. 그는 나를 만나러 왔다.

→ He came _____ me.

# Check up c-d 간단한 쓰기 연습을 통해 앞에서 배운 내용을 확인해 보세요.

**A** 다음 두 문장이 같은 뜻이 되도록 빈칸에 알맞은 말을 쓰세요.

1 I like sleeping late. 나는 늦게까지 자는 것을 좋아한다.

   ⇨ I like                          late.

2 She came here to be a singer. 그녀는 가수가 되려고 여기 왔다.

   ⇨ She came here                          to be a singer.

3 You should continue taking medicine. (너는) 약을 계속 먹는 게 좋아.

   ⇨ You should continue                          medicine.

4 Mom loved listening to this song. 엄마는 이 노래를 듣는 것을 좋아했다.

   ⇨ Mom loved                          to this song.

5 He will leave in order to meet Gina. 그는 지나를 만나러 떠날 것이다.

   ⇨ He will leave                          Gina.


**B** 밑줄 친 부분을 우리말로 옮겨 쓰세요.

1 I will continue to learn Korean.

   ⇨ 나는 한국어                          계속할 것이다.

2 We went to Boston to meet him.

   ⇨ 우리는 그를                          보스턴으로 갔다.

3 She's running in order to lose weight.

   ⇨ 그녀는 살을                          달리고 있다.

4 Sam tried to be a soccer player.

   ⇨ 샘은 축구 선수가                          노력했다.

5 The thief came into the bank to steal money.

   ⇨ 그 도둑은 돈을                          은행 안으로 들어왔다.

# Build up

**A** 괄호 안의 동사를 부정사로 만들어 우리말을 <u>영어로</u> 옮기세요.

1 건강해지기 위해서

⇨ _____ healthy (be)

2 기린을 보기 위해서

⇨ in order _____ a giraffe (see)

3 새 컴퓨터를 사는 것은

⇨ _____ a new computer (buy)

4 피아노를 치는 것

⇨ _____ the piano (play)

5 엄마와 함께 먹기 위해서

⇨ _____ with my mom (eat)

**B** 다음 두 문장이 같은 뜻이 되도록 빈칸에 알맞은 말을 쓰세요.

1 His goal of last year was exercising regularly.

⇨ His goal of last year was _____ .

2 We like riding a bicycle so much.

⇨ We like _____ so much.

3 I'm baking a cake in order to have my birthday party.

⇨ I'm baking a cake _____ my birthday party.

4 She drank milk every day to be taller.

⇨ She drank milk every day in _____ taller.

**C** 괄호 안의 말을 사용하여 우리말과 같은 뜻이 되도록 문장을 완성하세요.

1 내 목표는 이번 주에 책을 열 권 읽는 것이다.

⇨ My goal is to _____ this week. [read, ten books]

2 나는 인형 만드는 것을 좋아했다.

⇨ I liked to _____. [make, a doll]

3 그들은 그 아이들을 돕기 위해 일을 했다.

⇨ They worked to _____. [help, the children]

4 네 꿈은 이런 성을 짓는 거니?

⇨ Is your dream to _____ like this? [build, a castle]

5 과식하는 것은 건강에 좋지 않다.

⇨ To _____ is not good for your health. [eat too much]

6 우리는 바다에서 수영하는 것을 원한다.

⇨ We want to _____. [in the ocean, swim]

**D** 밑줄 친 곳을 바르게 고쳐 올바른 문장으로 쓰세요.

1 She jumped to picking the apples.  그녀는 사과를 따려고 뛰었다.

→ _____

2 I called him to meeting him.  나는 그를 만나기 위해 전화를 걸었다.

→ _____

3 Do you study being a doctor?  (너는) 의사가 되기 위해 공부하니?

→ _____

4 We got out to eating something.  우리는 무언가를 먹기 위해 나왔다.

→ _____

# 03 동명사와 부정사

> 동명사와 부정사를 동사의 목적어로 쓸 수 있는데, 동명사와 부정사를 모두 목적어로 쓸 수 있는 동사는 단 일곱 개에 지나지 않으며 나머지 동사들은 각각 동명사 또는 부정사 한 가지만 목적어로 쓸 수 있다.

## ⓐ 동명사를 목적어로 갖는 동사

다음과 같은 의미의 동사들은 대부분 동명사를 목적어로 쓴다.

**enjoy** 즐기다　**mind** 꺼리다　**finish** 끝내다　**avoid** 회피하다　**stop** 멈추다
**give up** 포기하다　**keep** 계속하다　**deny** 부정하다

> **TIPS** mind는 「mind + -ing」만 쓰는 경우보다 「Do you mind me -ing?(나 ~해도 괜찮아?)」라는 표현을 쓰는 경우가 더 많다.

**？Q** 괄호 안의 동사를 빈칸에 알맞게 쓰세요.

**1** 수영하는 것을 즐기다　　　◐　　enjoy _____ (swim)

**2** 일하는 것을 멈추다　　　　◐　　stop _____ (work)

**3** 달리는 것을 포기하다　　　◐　　give up _____ (run)

**4** 공부를 계속하다　　　　　◐　　keep _____ (study)

## ⓑ 부정사를 목적어로 갖는 동사

다음과 같은 의미의 동사들은 대부분 부정사를 목적어로 쓴다.

**want** 원하다　**need** 필요로 하다　**decide** 결심하다　**agree** 동의하다
**learn** 배우다　**refuse** 거절하다　**plan** 계획하다　**seem** ~인 것 같다

> **TIPS** 「need to ~」는 '~할 필요가 있다'라는 뜻인데, 경우에 따라 「don't have to ~」와 반대의 의미로 조동사에서 다루는 문법서도 있다.

**？Q** 괄호 안의 동사를 빈칸에 알맞게 쓰세요.

**1** 만나고 싶다　　　　　　　◐　　want _____ (meet)

**2** 이사 가기를 결정하다　　　◐　　decide _____ (move)

**3** 여행할 계획이다　　　　　◐　　plan _____ (travel)

**4** 떠날 것에 동의하다　　　　◐　　agree _____ (leave)

# Check up a-b

**A** 괄호 안에 주어진 동사를 빈칸에 알맞은 형태로 쓰세요.

1 나 운전해도 괜찮아?

⇨ Do you mind me _____ ? (drive)

2 우리 쌀을 좀 살 필요가 있어.

⇨ We need _____ some rice. (buy)

3 그는 저녁 식사를 위해 공부를 멈췄다.

⇨ He stopped _____ for dinner. (study)

4 나는 그를 만나고 싶었다.

⇨ I wanted _____ him. (meet)

5 한스는 그들에게 말하기로 결심했다.

⇨ Hans decided _____ them. (tell)


**B** 밑줄 친 부분을 바르게 고쳐 쓰세요.

1 I enjoy to ride a snowboard. 나는 스노보드 타는 것을 즐긴다.

_____ → _____

2 She wants finding her family. 그녀는 가족을 찾고 싶다.

_____ → _____

3 They stopped to fight. 그들은 싸움을 멈췄다.

_____ → _____

4 Mr. Brown gave up to fly. 브라운 씨는 비행을 포기했다.

_____ → _____

5 We refused meeting them. 우리는 그들과의 만남을 거절했다.

_____ → _____

**C** 동명사와 부정사 둘 다 목적어로 쓰는 동사    다음의 동사들은 동명사와 부정사를 둘 다 목적어로 쓴다.

**like** 좋아하다    **love** 좋아하다/사랑하다    **begin** 시작하다    **start** 시작하다
**hate** 싫어하다    **can't stand** ~을 견딜 수 없다(견딜 수 없이 싫어하다)    **continue** 계속하다

**?Q** 빈칸에 쓸 수 <u>없는</u> 것을 골라 X표 하세요.

**1** I love (to go / going / go) with you.

**2** He started (to drive / drive / driving) yesterday.

**3** We can't stand (singing / to sing / sing) on the street.

**d** Nice to meet you vs. Nice meeting you    「Nice + 부정사」는 '(지금) ~하게 되어 좋다'는 표현이고, 「Nice + 동명사」는 '(지금까지) ~해서 좋았다'라는 표현이다.

| 「Nice + 부정사」 | **Nice to meet** you. 만나서 반갑습니다.<br>**Nice to talk** with you. 당신과 대화를 나누게 되어 좋습니다. |
| --- | --- |
| 「Nice + 동명사」 | **Nice meeting** you. 만나서 반가웠습니다.<br>**Nice talking** with you. 당신과 대화를 나누어서 좋았습니다. |

**?Q** 우리말에 맞게 괄호 안의 동사를 알맞은 형태로 쓰세요.

**1** Nice _____ you again. (see)

다시 보게 되어 반갑습니다.

**2** Nice _____ with you. (go)

당신과 함께 가게 되어 기쁩니다.

**3** Nice _____ with you. (come)

당신과 함께 와서 기뻤습니다.

# Check up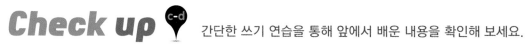

간단한 쓰기 연습을 통해 앞에서 배운 내용을 확인해 보세요.

**A** 주어진 동사를 빈칸에 알맞은 형태로 쓰세요. (답이 두 개면 둘 다 쓰세요.)

1 엘리스는 걷는 것을 좋아하니?

⇨ Does Alice like _____ ? (walk)

2 그들은 토론을 계속했다.

⇨ They continued _____ . (discuss)

3 나는 한국어 공부를 시작하는 것이 좋겠어.

⇨ I should begin _____ Korean. (learn)

4 당신과 저녁 식사를 하게 되어 좋았습니다.

⇨ Nice _____ dinner with you. (have)

5 그의 할머니는 TV 보는 것을 싫어했다.

⇨ His grandma hated _____ TV. (watch)

**B** 밑줄 친 부분을 바르게 고쳐 쓰세요. (답이 두 개면 둘 다 쓰세요.)

1 Nice <u>to meet</u> you.  당신을 만나서 반가웠습니다.

_____ → _____

2 Harry started <u>climb</u> up the tree.  해리는 나무를 오르기 시작했다.

_____ → _____

3 We will continue <u>study</u> tomorrow.  우리는 내일 공부를 계속할 것이다.

_____ → _____

4 Nice <u>having</u> lunch with you.  당신과 점심을 먹게 되어 기쁩니다.

_____ → _____

5 Who began <u>sing</u> earlier?  누가 먼저 노래 부르기 시작했니?

_____ → _____

# Build up

**A**  밑줄 친 곳을 바르게 고쳐 쓰세요. (답이 두 개면 둘 다 쓰세요.)

1   I want <u>buy</u> a watch.  나는 시계를 사고 싶다.

                →

2   Nancy decided <u>going</u> to Africa.  낸시는 아프리카에 가기로 했다.

                →

3   She likes <u>dance</u>.  그녀는 춤추는 것을 좋아한다.

                →

4   Nice <u>meeting</u> you.  만나서 반갑습니다.

                →

5   Do you mind me <u>to eat</u> this?  이것 좀 먹어도 되니?

                →

**B**  괄호 안의 단어를 알맞은 형태로 바꿔 빈칸에 쓰세요.

1   I stop               in front of the store. (walk)

    나는 그 가게 앞에서 걸음을 멈췄다.

2   He wants              a walk with Daisy. (take)

    그는 데이지와 함께 산책하기를 원한다.

3   I decided             a new bag. (buy)

    나는 새 가방을 사기로 결심했다.

4   We need             harder for our future. (study)

    우리는 장래를 위해 공부를 더 열심히 할 필요가 있다.

5   Nice             you here. (meet)

    여기서 만나 뵙게 되어 반가웠습니다.

**C** 주어진 말을 사용하여 우리말과 같은 뜻이 되도록 문장을 완성하세요.

1 레나는 가수가 되고 싶었다.

⇨ Lena wanted _____. [be a singer]

2 그레이스는 설거지하는 것을 끝냈다.

⇨ Grace finished _____. [wash dishes]

3 나는 그 넥타이를 찾으려고 노력했다.

⇨ I tried _____. [find the necktie]

4 피터는 세계 여행하는 것을 계획하고 있다.

⇨ Peter is planning _____. [travel around the world]

5 그들은 약 먹기를 거부하고 있었다.

⇨ They were denying _____. [take medicine]


**D** 괄호 안의 말을 사용하여 우리말을 영어로 옮기세요.

1 나는 침대를 바꾸기로 결심했다.

⇨ _____. [decide, change my bed]

2 우리는 춤추는 것을 즐긴다.

⇨ _____. [enjoy, dance]

3 그녀는 새 차를 살 필요가 있었다.

⇨ _____. [need, buy a new car]

4 그들은 축구 보는 것을 싫어한다.

⇨ _____. [hate, watch a soccer game]

5 해리는 주문 외우는 것을 멈췄다.

⇨ _____. [Harry, stop, chant a spell]

# 관용적 표현

영어에는 동명사와 부정사를 사용하는 습관적인 말들이 많은데, 이렇게 습관적으로 쓰는 말들을 관용적 표현이라고 한다. 여기에서는 writing을 할 때 가장 흔히 쓰는 표현들을 골라 익혀 보자.

## ⓐ go + ~ing

'~하러 가다'라는 의미로 몸을 움직이는 활동을 하러 간다는 의미를 표현할 때 쓴다.

| go + ~ing<br>~하러 가다 | **go shopping** 쇼핑하러 가다 | **go camping** 캠핑하러 가다 |
| --- | --- | --- |
| | **go swimming** 수영하러 가다 | **go jogging** 조깅하러 가다 |
| | **go fishing** 낚시하러 가다 | **go skiing** 스키 타러 가다 |
| | **go dancing** 춤추러 가다 | **go playing golf** 골프 치러 가다 |

**?Q** 빈칸에 알맞은 말을 고르세요.

**1** He went (to play / playing) soccer.  그는 축구를 하러 갔다.

**2** Are you going (skating / to skate)?  (너는) 스케이트 타러 가니?

**3** I want to go (to hike / hiking).  (나는) 하이킹하러 가고 싶다.

## ⓑ what/how about + ~ing

'~하는 게 어때?'라는 의미로 「Why don't we + 동사 원형 ~?」, 「Let's + 동사 원형 ~!」과 같은 표현이다.

| What/How about + ~ing ~?<br>~하는 게 어때?<br>= Why don't we + 동사 원형 ~?<br>= Let's + 동사 원형 ~! | **What[How] about going** shopping?<br>쇼핑하러 가는 게 어때?<br>= Why don't we go shopping?<br>= Let's go shopping! |
| --- | --- |

**TIPs**
제안의 의미를 더해 주는 조동사: Grammar tab1
Part 4. 조동사 참조

**?Q** 다음 두 문장이 같은 뜻이 되도록 빈칸에 알맞은 말을 쓰세요.

**1** Why don't we go fishing?  낚시하러 가는 게 어때?

● How about _____ fishing?

**2** Let's play this game!  이 게임을 하자!

● What about _____ this game?

# Check up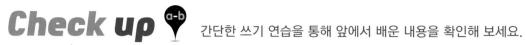

간단한 쓰기 연습을 통해 앞에서 배운 내용을 확인해 보세요.

**A 괄호 안의 동사를 빈칸에 알맞은 형태로 쓰세요.**

1 바다 수영하러 가자!

⇨ Let's go _____ in the ocean! (swim)

2 프레디를 만나는 게 어때?

⇨ How about _____ Freddie? (meet)

3 스케이트 타러 가는 게 어때?

⇨ What about _____ skating? (go)

4 그들은 어제 스노보드를 타러 갔다.

⇨ They went _____ a snowboard yesterday. (ride)

5 친구들과 캠핑하러 가도 돼요?

⇨ Can I go _____ with my friends? (camp)

**B 두 문장이 같은 뜻이 되도록 빈칸에 알맞은 말을 쓰세요.**

1 Why don't we go dancing? 춤추러 가는 게 어때?

⇨ What _____ _____ dancing?

2 Let's have lunch! 점심 먹자!

⇨ How _____ _____ lunch?

3 Let's go to the amusement park! 놀이 동산에 가자!

⇨ What _____ _____ to the amusement park?

4 Let's make a snowman! 눈사람 만들자!

⇨ How _____ _____ a snowman?

5 Why don't we continue to study history? 역사 공부를 계속하는 게 어때?

⇨ What _____ _____ to study history?

### c 의문사 + 부정사

의문사 what, how, where, when, who 뒤에 부정사를 써서 각각 '무엇을 ~할지', '어떻게 ~할지', '어디서[로] ~할지', '언제 ~할지', '누구를 ~할지'의 의미를 나타내며, 주로 think, know, show, ask, decide, tell, teach, learn 등의 동사와 함께 쓴다.

| what/how/where/when/ who + 부정사 | **what to do** 무엇을 (해야) 할지 <br> **where to wait** 어디에서 기다릴지 <br> **when to come** 언제 올지/오는지 <br> **how to use** 어떻게 사용(해야)할지/사용하는 방법 <br> **who to believe** 누구를 믿어야 할지 |
|---|---|

**TIPs**
「how + 부정사」는 우리말로 옮길 때 '~하는 방법'이라고 하는 편이 더 자연스럽다.

**?Q** 다음을 우리말로 옮겨 쓰세요.

**1** what to buy ○ _____    **2** when to leave ○ _____

**3** where to do ○ _____    **4** how to drive ○ _____

### d it + is/was + 형용사 + 부정사

'~하는 것은 ~하다/했다'는 의미이다.

| It + is/was + 형용사 + 부정사 | **It is difficult to exercise** regularly. <br> 꾸준히 운동하는 것은 어렵다. <br> **It was not easy to find** my puppy. <br> 강아지를 찾기가 쉽지 않았다. <br> **It is dangerous to make a fire** in the mountain. <br> 산에서 불을 피우는 것은 위험하다. |
|---|---|

**?Q** 빈칸에 알맞은 것을 고르세요.

**1** 오랫동안 공부하는 것은 힘들다.

○ It's hard (to study / study) for a long time.

**2** 그와 친해지는 것은 쉬웠다.

○ It was easy (make / to make) friends with him.

# Check up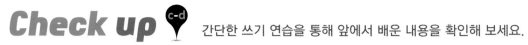

간단한 쓰기 연습을 통해 앞에서 배운 내용을 확인해 보세요.

**A  우리말과 같은 뜻이 되도록 빈칸에 알맞은 말을 쓰세요.**

1  (나는) 이 컴퓨터를 사용하는 방법을 모르겠다.

⇨ I don't know ＿＿＿＿＿ ＿＿＿＿＿ use this computer.

2  살을 빼는 것은 어렵다.

⇨ ＿＿＿＿＿ is hard ＿＿＿＿＿ lose weight.

3  언제 떠나는지 말해 줄 수 있니?

⇨ Can you tell me ＿＿＿＿＿ ＿＿＿＿＿ leave?

4  윌리엄은 어디로 이사를 할지 결정하지 못했다.

⇨ William didn't decide ＿＿＿＿＿ ＿＿＿＿＿ move.

5  춤추는 것은 재미있었다.

⇨ ＿＿＿＿＿ was fun ＿＿＿＿＿ dance.


**B  괄호 안에 주어진 말을 사용하여 문장을 완성하세요.**

1  그와 화해하는 것은 힘들었다.

⇨ ＿＿＿＿＿ was hard ＿＿＿＿＿ ＿＿＿＿＿ friends with him again. (make)

2  어디서 기다려야 할지 말해 줄래?

⇨ Will you tell me ＿＿＿＿＿ ＿＿＿＿＿ ＿＿＿＿＿? (wait)

3  젠은 그녀를 위해 무엇을 살지 결정했다.

⇨ Zen decided ＿＿＿＿＿ ＿＿＿＿＿ ＿＿＿＿＿ for her. (buy)

4  늦게까지 잠을 자는 것은 좋지 않다.

⇨ ＿＿＿＿＿ is not good ＿＿＿＿＿ ＿＿＿＿＿ late. (sleep)

5  수지는 누구를 믿어야 할지 몰랐다.

⇨ Susie didn't know ＿＿＿＿＿ ＿＿＿＿＿ ＿＿＿＿＿. (believe)

**A** 우리말과 같은 뜻이 되도록 빈칸에 알맞은 말을 쓰세요.

1  스키 타는 법  ⇨  [____] [____] ski

2  어디서 점심을 먹을지  ⇨  [____] [____] have lunch

3  언제 그녀를 찾아갈지  ⇨  [____] [____] visit her

4  톰에게 무슨 말을 해야 할지  ⇨  [____] [____] tell Tom

5  어디로 갈지  ⇨  [____] [____] go

6  이 프로그램을 사용하는 방법  ⇨  [____] [____] use this program

7  누구를 만날지  ⇨  [____] [____] meet

8  언제 숙제를 끝낼지  ⇨  [____] [____] finish homework


**B** 밑줄 친 곳을 바르게 고쳐 쓰세요.

1  I learned how to skating.  나는 스케이트 타는 법을 배웠다.

[____]  →  [____]

2  It was urgent finding him.  그를 찾는 것이 시급했다.

[____]  →  [____]

3  That is important to exercise regularly.  규칙적으로 운동하는 것은 중요하다.

[____]  →  [____]

4  It was hard decide what to eat.  무엇을 먹을지 결정하기 어려웠다.

[____]  →  [____]

5  I don't know when having dinner.  언제 저녁을 먹을지 모르겠다.

[____]  →  [____]

**C** 주어진 말을 사용하여 우리말과 같은 뜻이 되도록 문장을 완성하세요.

1 아빠는 언제 떠날지 말하지 않았다.

⇨ Dad didn't tell us _____. [leave]

2 영어를 배우는 것은 어렵지 않다.

⇨ It's not _____. [difficult, learn English]

3 친구들과 헤어지는 것은 슬프다.

⇨ It's _____ to friends. [sad, say goodbye]

4 피터는 어디로 여행을 갈지 정하지 못했다.

⇨ Peter didn't decide _____. [go on a trip]

5 이메일에 뭐라고 써야 할지 모르겠다.

⇨ I don't know _____ in the email. [write]


**D** 괄호 안의 말을 사용하여 우리말을 영어로 옮기세요.

1 존은 그를 어디서 기다려야 할지 물었다. [John, ask, wait for]

⇨ _____.

2 유명한 사람을 만나는 것은 쉽지 않다. [easy, meet a famous person]

⇨ _____.

3 마법을 배우는 것은 재미있었다. [interesting, learn magic]

⇨ _____.

4 나는 언제 줄리를 불러야 할지 몰랐다. [know, call Julie]

⇨ _____.

5 그들은 거울을 사용하는 방법을 물었다. [ask, use a mirror]

⇨ _____.

**[1-3]** 빈칸에 들어갈 말로 알맞은 것을 고르세요.

**1**

> He is interested in _____ a car.

① drive        ② drives        ③ drove

④ driving        ⑤ to drive

**2**

> She _____ playing ice hockey.

① wanted        ② enjoyed        ③ planned

④ hoped        ⑤ needed

**3**

> I needed _____ Korean.

① to learn        ② learning        ③ learned

④ learn        ⑤ be learning

**4** 빈칸에 쓸 수 있는 것을 <u>두 개</u> 고르세요.

> I don't know _____ to have breakfast.

① which        ② when        ③ why

④ where        ⑤ whose

**5** 빈칸에 들어갈 말을 차례대로 알맞게 짝지은 것을 고르세요.

> I'm going _____. 나는 춤을 추러 가는 중이다.
> Bobby knows how _____. 보비는 요리하는 법을 안다.

① dancing  –  cooking      ② dance  –  cook      ③ to dance  –  cook

④ to dance  –  to cook      ⑤ dancing  –  to cook

**6** 밑줄 친 부분이 바르지 않은 것을 고르세요.

① It is not easy <u>to learn</u> Chinese.

② <u>Learning</u> science is interesting.

③ I will go <u>fishing</u> this Saturday.

④ He finished <u>to do</u> his homework.

⑤ She needs <u>to make</u> friends with him again.

**7** 다음 중 올바른 문장을 고르세요.

① He didn't decide whose to stay.

② How about go for a picnic today?

③ She is proud of being a teacher.

④ Denny likes clean his room.

⑤ The twins want buy the gloves for their mother.

**8** 다음 중 잘못된 문장을 고르세요.

① Do you mind me opening the window?

② She decided to move to London.

③ He avoided answering the question.

④ The baby kept to cry that night.

⑤ Thank you for inviting me.

**[9-10]** 우리말과 같은 뜻이 되도록 빈칸에 알맞은 말을 고르세요.

**9**

> 그녀는 그를 만나고 싶지 않았다.
>
> ⇨ She didn't want _____.

① to meet her          ② to meet him          ③ meet her

④ meeting her          ⑤ meeting him

**10**

만나서 반가웠습니다.

⇨ Nice _____ you.

① meet

② met

③ to meet

④ meeting

⑤ is meet

**11** 밑줄 친 부분을 부정사로 바꿔 쓸 수 없는 것을 고르세요.

① My hobby is <u>collecting</u> coins.

② He is good at <u>dancing</u>.

③ <u>Reading</u> a book is fun.

④ I like <u>playing</u> soccer.

⑤ They continued <u>playing</u> the piano.

**12** 빈칸에 공통으로 들어갈 수 있는 말을 고르세요.

She _____ to wash the dishes.

She _____ washing the dishes.

① finished

② enjoyed

③ began

④ mind

⑤ needed

**13** 밑줄 친 부분의 쓰임이 <u>잘못된</u> 것을 고르세요.

① It is hard <u>to run</u> in the water.

② <u>Learning</u> Chinese is very difficult.

③ I will go <u>to swim</u> tomorrow.

④ How about <u>staying</u> here with me?

⑤ She didn't know what <u>to do</u>.

**14** 두 문장의 뜻이 같지 <u>않은</u> 것을 고르세요.

① Let's go playing soccer!      =      What about playing soccer?

② Learning English is not hard.      =      To learn English is not hard.

③ I like drinking milk.      =      I like to drink milk.

④ Nice to meet you again.      =      Nice meeting you again.

⑤ How about having dinner?      =      Why don't we have dinner?

**15** 빈칸에 공통으로 들어갈 수 있는 말을 고르세요.

> I don't know _____ to use this espresso machine.
>
> Romeo didn't learn _____ to drive.

① how           ② where           ③ what

④ why           ⑤ when

**[16-20]** 우리말과 같은 뜻이 되도록 빈칸에 알맞은 말을 쓰세요.

**16** 나는 시험에 합격하기 위해 열심히 공부했다.

⇨ I studied hard in _____ pass the exam.

**17** 그는 낚시하러 가는 것을 좋아하지 않는다.

⇨ He doesn't like to _____.

**18** 스케이트 타러 가는 게 어때?

⇨ What _____?

**19** 당신을 만나서 반갑습니다.

⇨ Nice _____.

**20** 앨리스는 언제 이사할지 결정했니?

⇨ Did Alice decide _____?

# He stopped to the shoelace.
## 그는 신발 끈을 묶기 위해 멈춰 섰다.

이상합니다. 저건 대체 뭔가요? 분명히 stop은 동명사만 목적어로 쓸 수 있다고 하더니 저런 문장이 한두 개가 아닙니다. 인터넷에 쳐 보니 수도 없이 나옵니다. Grammar tab이 거짓말한 걸까요? 결론은 '그렇지 않다'입니다. 하지만, stop 뒤에 부정사를 쓸 수 있는 것도 맞습니다. 헷갈리죠?

Grammar tab에서 말한 것은 '동사의 목적어' 즉, 명사로 쓰일 경우만을 한정해서 말한 것입니다. 자세히 보면, 위의 문장은 '~을 멈추다'라는 뜻이 아닙니다. 그것은 앞에서도 말했듯이 부정사가 특정한 한 가지 품사로만 쓰이지 않고 여러 가지 품사로 쓰이기 때문입니다.

**He stopped to tie the shoelace.** 그는 신발 끈을 묶기 위해 멈춰 섰다.

본문에서도 배웠지만, 부정사에는 '목적'을 뜻하는 부사적 용법이 있습니다. '~을 하기 위해'라는 것은 명사, 즉 동사의 목적어가 아닙니다.

**He stopped tying the shoelace.** 그는 신발 끈 묶는 것을 멈췄다.

동명사나 부정사로 쓴 행동을 어떻게 한다는 동사의 목적어로 쓰이는 경우만을 한정해서 동명사 또는 부정사를 목적어로 쓰는 동사를 배운 것입니다. 그러면 중요하지 않은 것이 아니냐고 물을 수도 있지만, 만일 stop이 목적어로는 부정사를 쓸 수 없다는 것을 모른다면 He stopped to tie the shoelace.를 '그는 신발끈 묶는 것을 멈췄다.'라고 오역할 수도 있고, 반대로 작문을 이처럼 잘못된 의미로 할 수도 있겠죠?

**She quit skating.** 그녀는 스케이트 타는 것을 그만 두었다.
**She quit to skate.** 그녀는 스케이트를 타기 위해 (어떤 것을) 그만 두었다.

이 두 문장의 의미는 엄청난 차이입니다. 작은 오역 하나가 선수 하나를 은퇴시켜 버릴 수도 있습니다!

# VI. 문장의 확장

지금까지 여러 문법 규칙을 익혀 보았다. 이제 마지막으로 **보다 다양하고 풍부한 문장 표현 방식**에 대해 알아보자.

앞서 배운 문법 규칙들이 여러 가지 문장 표현 방식 안에서 어떻게 적용되는지 함께 익히고 연습하다 보면,

문법을 한층 더 자유롭게 작문에 활용할 수 있을 것이다.

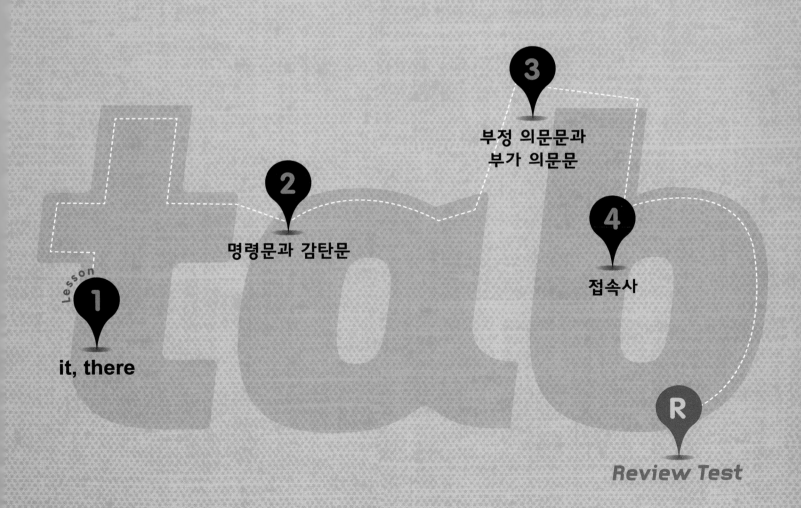

**3**

**부정 의문문과
부가 의문문**

**2**

**명령문과 감탄문**

**4**

**접속사**

Lesson

**1**

**it, there**

**R**

**Review Test**

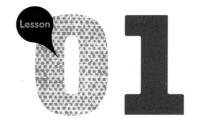

# it, there

영어는 명령문을 제외하고는 반드시 주어가 있어야 문장이 되므로 주어를 말하지 않아도 되는 경우에도 it을 주어로 쓴다. 또한, 영어를 쓰는 사람들 사이에서 굳어진 습관으로 it이나 there로 문장을 시작하기도 한다.

## ⓐ 시간, 요일, 날짜, 계절

시간, 요일, 날짜, 계절 등을 말할 때에는 주로 「it is/was + 요일/날짜/계절」로 표현하며, it은 별도의 의미를 갖지 않는다.

「it is/was + 시간/요일/날짜/계절」

| | |
|---|---|
| It is ten twelve. 10시 12분이다. | It was ten o'clock. 10시 정각이었다. |
| It is Monday today. 오늘은 월요일이다. | It was Saturday. 토요일이었다. |
| It is July 1st. 7월 1일이다. | It was March 15th. 3월 15일이었다. |
| It is spring. 봄이다. | It was winter. 겨울이었다. |

**❓ⓠ** 보기에서 It is 다음에 쓸 수 있는 말을 골라 빈칸에 순서대로 쓰세요.

> summer   run   Sunday   drive   five o'clock   October 7th

**1** It is _____.   **2** It is _____.

**3** It is _____.   **4** It is _____.

## ⓑ 날씨, 밝기, 거리

날씨, 밝기, 거리 등을 표현할 때에는 주로 「it is/was + 날씨/밝기/거리」로 표현하며, it은 별도의 의미를 갖지 않는다.

「it is/was + 날씨/밝기/거리」

| | |
|---|---|
| It is hot today. 오늘은 덥다. | It was warm yesterday. 어제는 따뜻했다. |
| It is dark in the cave. 동굴 안은 어둡다. | It was light in the park. 공원 안은 밝았다. |
| It is ten miles to the school. 학교까지의 거리는 10마일이다. | It was ten miles to the school. 학교까지의 거리는 10마일이었다. |

**❓ⓠ** 밑줄 친 부분을 우리말로 옮겨 쓰세요.

**1** It is cold today.   ⊙ _____

**2** It was dark there.   ⊙ _____

**3** It was five miles to the park.   ⊙ _____

# Check up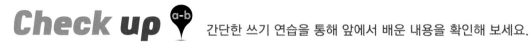

간단한 쓰기 연습을 통해 앞에서 배운 내용을 확인해 보세요.

**A** 보기와 같이 괄호 안의 말을 사용하여 우리말을 <u>영어로</u> 옮기세요.

> 12월이다. **(December)** ⇨ **It is December.**

1 (날씨가) 흐리다. (cloudy) ⇨

2 5시 정각이다. (five o'clock) ⇨

3 8월 15일이었다. (August 15th) ⇨

4 목요일이다. (Thursday) ⇨

5 겨울이다. (winter) ⇨

6 4월이었다. (April) ⇨

7 2킬로미터이다. (two kilometers) ⇨

8 (날씨가) 맑았다. (sunny) ⇨

**B** 밑줄 친 부분을 우리말로 옮겨 쓰세요.

1 <u>It was dark</u> in the ocean. ⇨

2 <u>It's ten thirty</u> now. ⇨

3 <u>It was rainy</u> last night. ⇨

4 <u>It's fifty kilometers</u> to his office. ⇨

5 <u>It's summer.</u> ⇨

## c It's time ~

'~할 시간이다'라는 의미로, 「It's time for + 명사」 또는 「It's time + 부정사」로 쓴다.

| 「It's time for + 명사/동명사」 | It's time for lunch. 점심 먹을 시간이야.<br>It's time for bed. 자야 할 시간이야.<br>It's time for moving. 움직일 시간이야. |
|---|---|
| 「It's time + 부정사」 | It's time to say goodbye. 작별할 시간이야.<br>It's time to play baseball. 야구할 시간이야.<br>It's time to take a bath. 목욕할 시간이야. |

**?Q** 빈칸에 알맞은 말을 고르세요.

**1** It's time for (a bath / take a bath). 목욕할 시간이야.

**2** It's time to (bed / go to bed). 자야 할 시간이야.

**3** It's time for (dinner / have dinner). 저녁 먹을 시간이야.

## d there/here + be ~

영어권 사람들에게는 '~이 있다'는 표현을 할 때, 주어를 주어 자리에 쓰지 않고 there나 here를 맨 앞에 쓰는 습관이 있다.

| 「there + be + 명사」<br>~이 있다 | There is a pen. 펜이 하나 있어.<br>There were two dogs. 개가 두 마리 있었어. |
|---|---|
| 「here + be + 명사」<br>여기 ~이 있다 | Here is some honey. 여기 꿀이 조금 있어.<br>Here were many balls. 여기 공이 많이 있었어. |

**TIPs** be동사의 수는 뒤에 오는 명사가 단수이냐 복수이냐에 따라 결정된다.

**?Q** 빈칸에 알맞은 말을 고르세요.

**1** There are (many flowers / a flower). 꽃이 많이 있어.

**2** Here is (five glasses / a glass). 여기 컵이 하나 있어.

**3** There is (much bread / two pieces of bread). 빵이 많이 있어.

# Check up 🎯

c-d 간단한 쓰기 연습을 통해 앞에서 배운 내용을 확인해 보세요.

**A** 우리말과 같은 뜻이 되도록 빈칸에 알맞은 말을 쓰세요.

1 여기 키위 주스 한 잔이 있습니다.

⇨ Here _____ a glass of kiwi juice.

2 휴식 시간이야.

⇨ It's time _____ a break.

3 연필이 세 자루 있니?

⇨ _____ there three pencils?

4 냉장고에 치즈가 얼마나 있니?

⇨ How much cheese is _____ in the refrigerator?

5 제시카를 만날 시간이었어.

⇨ It was time _____ meet Jessica.

**B** 밑줄 친 부분을 우리말로 옮겨 쓰세요.

1 It's <u>time to go to bed</u>.　　⇨ _____

2 <u>Here are five pens</u>.　　⇨ _____

3 Was it <u>time for dinner</u>?　　⇨ _____

4 <u>Was there more gold</u> in the mine?　　⇨ _____

5 It's <u>time for an exam</u>.　　⇨ _____

# Build up

**A** 우리말과 같은 뜻이 되도록 빈칸에 알맞은 말을 쓰세요.

1 어제는 따뜻했어.

⇨ _____ _____ warm yesterday.

2 너희 집에는 개가 몇 마리 있니?

⇨ How many dogs _____ _____ in your house?

3 이곳은 겨울이야.

⇨ _____ _____ winter here.

4 영화가 시작할 시간이야.

⇨ _____ _____ to begin the movie.

5 여기 블루베리 케이크 한 조각이 있었어.

⇨ _____ _____ a piece of blueberry cake.

**B** 밑줄 친 부분을 바르게 고쳐 쓰세요.

1 It was time <u>for go</u> to school.  학교에 갈 시간이었다.

_____ → _____

2 <u>There was</u> many people in the store.  그 가게에는 사람이 많았다.

_____ → _____

3 It's <u>time to</u> lunch.  점심 먹을 시간이야.

_____ → _____

4 <u>Was there</u> rainy yesterday?  어제는 비가 왔니?

_____ → _____

5 <u>Here is</u> beautiful swans.  여기 아름다운 백조들이 있어.

_____ → _____

**C** 우리 말과 같은 뜻이 되도록 괄호 안의 말들을 순서에 맞게 쓰세요.

1 일어날 시간이야.

⇨ _____ [to get up, time, it's]

2 지금은 2시 10분이다.

⇨ _____ [now, is, two ten, it]

3 여기 물 한 병 있나요?

⇨ _____ [here, water, is, a bottle of]

4 내일이 수요일이니?

⇨ _____ [Wednesday, is, tomorrow, it]

5 그 집에는 사자가 한 마리 있었다.

⇨ _____ [in the house, there, a lion, was]


**D** 괄호 안에 주어진 말을 사용하여 알맞은 문장을 쓰세요.

1 간식 먹을 시간이야. (a snack, time for)

→ _____

2 거실에 새 컴퓨터가 있어. (a new computer, in the living room)

→ _____

3 역 앞에 빵집이 있었니? (a bakery, in front of the station, there)

→ _____

4 어제는 눈이 왔다. (snowy, yesterday)

→ _____

5 이제 집에 돌아갈 시간이야. (get back home, now)

→ _____

# 명령문과 감탄문

'~해라/~하지 마라'와 같은 의미를 전달하는 문장이 명령문이고, 말 그대로 감탄의 감정을 실어 표현하는 문장이 감탄문이다. 감탄문은 단순히 감탄사만 추가해서 만들 수도 있지만, **how**와 **what**을 써서 특별한 표현을 하기도 한다.

## ⓐ 명령문 ❶

무언가를 하라는 표현을 할 때에는 주어를 쓰지 않고 동사 원형을 문장의 제일 앞에 쓴다. 부가적으로 '부디, 제발' 등의 의미를 첨가하려면, please를 함께 쓴다.

---

동사 원형 (+ 목적어/보어): ~해(라).

**Be** quiet. 조용히 해. → **Please be** quiet. 제발 조용히 해 주세요.

**Open** your book. 책을 펴라. → **Open** your book, please. 부디 책을 좀 펴 줘.

**Help** me. 나 좀 도와줘. → **Please help** me. 제발 나 좀 도와줘.

**Say** hello to your family. 너희 가족들에게 안부 전해 줘.

> **TIPs**
> please를 문장의 앞에 쓸 때에는 쉼표를 쓰지 않지만, 뒤에 쓸 때에는 쉼표를 쓴다.

---

**❓** 빈칸에 알맞은 말을 고르세요.

**1** (Do / Did) your homework now. 지금 숙제를 해라.

**2** (Get / Gets) out of here, please. 부디 여기서 나가 줘.

**3** Please (calling / call) me again. 꼭 다시 불러 줘.

## ⓑ 명령문 ❷

무언가를 하지 말라는 표현을 할 때에는 주어를 쓰지 않고 「Don't[Do not] + 동사 원형」으로 문장을 시작한다. 절대로 하지 말라는 표현을 하려면, Don't[Do not] 대신 Never를 쓴다.

---

「Don't[Do not] + 동사 원형 ~」 ~하지 마(라).

**Don't be** nervous. 긴장하지 마.

**Don't close** the door, please. 문을 닫지 말아 줘.

**Never make fire** in the mountain. 산에서는 절대 불을 피우지 마.

---

**❓** 빈칸에 알맞은 말을 쓰세요.

**1** 시끄럽게 굴지 마.   ❍ _____ make a noise.

**2** 늦잠 자지 마.   ❍ _____ sleep late.

**3** 절대 내 생일 파티 잊지 마.   ❍ _____ forget my birthday party.

# Check up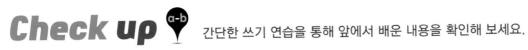

간단한 쓰기 연습을 통해 앞에서 배운 내용을 확인해 보세요.

## A 보기에서 알맞은 말을 골라 빈칸에 쓰세요.

| don't | never | be | call | drink |
|-------|-------|-----|------|-------|

1  조심해.  ⇨  _____ careful.

2  슬퍼하지 마세요.  ⇨  _____ be sad.

3  절대 벽에 그림 그리지 마.  ⇨  _____ draw anything on the wall.

4  이번 토요일에 꼭 전화해 줘.  ⇨  Please _____ me this Saturday.

5  우유 좀 마셔.  ⇨  _____ some milk.

6  (우리) 엄마한테 말하지 마.  ⇨  _____ tell my mom.


## B 밑줄 친 부분을 우리말로 옮겨 쓰세요.

1  <u>Tell me</u> the truth.  ⇨  _____

2  <u>Be honest</u> to your friends.  ⇨  _____

3  <u>Don't go fishing</u> today.  ⇨  _____

4  <u>Never read</u> my diary.  ⇨  _____

5  Please <u>don't try this sweater on</u>.  ⇨  _____

### c 감탄문 ❶

무언가가 매우 어떠하다는 감탄의 의미를 나타낼 때, 「how + 형용사/부사 + 주어 + 동사」라고 쓴다.

| | |
|---|---|
| 「how + 형용사 + 주어 + 동사」 | How smart this dog is! 이 개는 정말 똑똑하구나!<br>How high Baekdusan is! 백두산은 정말 높구나!<br>How tall your mom is! 너희 엄마는 정말 키가 크구나! |
| 「how + 부사 + 주어 + 동사」 | How fast a cheetah runs! 치타는 정말 빨리 달리는구나!<br>How hard Lena studied! 레나는 정말 열심히 공부했구나!<br>How well he plays soccer! 그는 정말 축구를 잘하는구나! |

**❓Q** 빈칸에 알맞은 말을 쓰세요.

**1** _____ short this tree is! 이 나무는 정말 작구나!

**2** _____ interesting this book is! 이 책은 정말 재미있구나!

**3** _____ slowly he drives a car! 그는 운전을 정말 느리게 하는구나!

### d 감탄문 ❷

how 대신 what을 써서 감탄의 의미를 나타낼 수도 있는데, 이때에는 「what (+ a/an) + 형용사 + 명사」라고 쓰며, 명사 뒤에 주어와 동사를 쓰기도 하지만 생략하는 경우가 많다.

「what (+ a/an) + 형용사 + 명사 (+ 주어 + 동사)」

What an old book (this is)! (이것은) 정말 오래된 책이구나!

What old books (these are)! (이것들은) 정말 오래된 책들이구나!

What a hard watch (that is)! (저것은) 정말 튼튼한 시계구나!

> **TIPs** 형용사 뒤에 오는 명사가 셀 수 있는 명사의 단수일 때 a/an을 쓰고, 복수일 때에는 관사를 쓰지 않는다.

**❓Q** 빈칸에 알맞은 말을 쓰세요.

**1** _____ _____ cute baby! 정말 귀여운 아기구나!

**2** _____ _____ hot day it is! 정말 더운 날이구나!

**3** _____ easy questions these are! 이거 정말 쉬운 문제들이구나!

# Check up 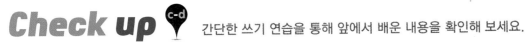 간단한 쓰기 연습을 통해 앞에서 배운 내용을 확인해 보세요.

## A 빈칸에 알맞은 말을 쓰세요.

1 _____ quickly you arrived! (너) 정말 빨리 도착했구나!

2 _____ an interesting book this is! 이거 정말 재미있는 책이구나!

3 _____ difficult this puzzle is! 이 퍼즐 정말 어렵구나!

4 _____ hard they're training! 그들은 정말 열심히 훈련하고 있구나!

5 _____ kind you are! (너) 정말 친절하구나!

6 _____ busy students you are! 너희들 정말 바쁜 학생들이구나!

## B 우리말과 같은 뜻이 되도록 보기에서 알맞은 말을 골라 빈칸에 쓰세요.

> an expensive jacket he wears       useful this bag is       lazy these bears are
> an exciting game                   fast that horse is running

1 이 곰들은 정말 게으르구나!
   ⇨ How _____!

2 저 말은 정말 빨리 달리고 있구나!
   ⇨ How _____!

3 정말 흥미진진한 게임이구나!
   ⇨ What _____!

4 그는 정말 비싼 재킷을 입고 있구나!
   ⇨ What _____!

5 이 가방은 정말 유용하구나!
   ⇨ How _____!

# Build up

이번 Lesson에서 배운 내용을 토대로 작문 실력을 키워 보세요.

**A** 다음 문장을 <u>명령문</u>으로 바꿔 쓸 때 빈칸에 알맞은 말을 쓰세요.

1  You are not late for school.

→ _____ late for school. (학교에) 지각하지 마.

2  You wash your hands.

→ _____ your hands. 손 씻어.

3  You never come home late.

→ _____ home late. 절대 집에 늦게 들어오지 마.

4  You exercise in the park every morning.

→ _____ in the park every morning. 아침마다 공원에서 운동해.

5  You are not noisy in the library.

→ _____ noisy in the library. 도서관에서 시끄럽게 하지 마.

**B** 다음 문장을 <u>감탄문</u>으로 바꿔 쓸 때 빈칸에 알맞은 말을 쓰세요.

1  This bag is very heavy.

→ _____ _____ this bag is! 이 가방은 정말 무겁구나!

2  He has very thick books.

→ _____ _____ books he has! 그는 정말 두꺼운 책들을 갖고 있구나!

3  The movie was very boring.

→ _____ _____ the movie was! 그 영화는 정말 지루했구나!

4  It is a very hot day.

→ _____ _____ _____ day! 정말 더운 날이구나!

5  She swims very well.

→ _____ _____ she swims! 그녀는 정말 수영을 잘 하는구나!

**C** 밑줄 친 곳을 바르게 고쳐 쓰세요.

1 <u>Plays</u> with your children on weekends.  주말에는 아이들과 놀아 줘요.

　　　　　　　　　　　　　　→

2 What <u>heavy</u> chair!  정말 무거운 의자구나!

　　　　　　　　　　　　　　→

3 How <u>an exciting</u> this game is!  이 게임은 정말 흥미진진하구나!

　　　　　　　　　　　　　　→

4 <u>Not eating</u> this pizza.  이 피자는 먹지 마.

　　　　　　　　　　　　　　→

5 How <u>is</u> this tall tree!  이 나무는 정말 키가 크구나!

　　　　　　　　　　　　　　→

**D** 괄호 안의 말을 사용하여 우리말을 영어로 옮기세요.

1 딸기 우유 좀 마셔.

⇨ _____ [some strawberry milk, drink]

2 정말 오래된 성이구나!

⇨ What _____ [castle, old]

3 가인이는 정말 예쁘구나!

⇨ How _____ [Ga-in, pretty]

4 식당에서 시끄럽게 굴지 마.

⇨ _____ [be noisy, in the restaurant]

5 그 새들은 정말 크구나!

⇨ How _____ [the birds, big]

# 03 부정 의문문과 부가 의문문

무엇을 하느냐고 물을 수도 있지만, 무엇을 하지 않느냐고 물을 수도 있다. 이것을 부정 의문문이라고 한다. 또한, '이거 예쁘다, 그렇지 않니?'처럼 무슨 말을 하고 나서 확인을 위해 되묻는 경우도 있는데 이것이 부가 의문문이다.

### ⓐ 부정 의문문 만들기

'~하지 않(았)니?'라는 의미로, 주어가 I인 경우는 부정 의문문을 쓰지 않는다. 의문문의 제일 앞에 쓰는 be동사, 조동사, do(es)/did에 not을 붙이는데, 대부분 축약형을 쓴다.

**Aren't** you tired? 피곤하지 않니? (**Weren't** you tired? 피곤하지 않았니?)
Who **isn't** busy now? 누가 지금 바쁘지 않니?
**Can't** you play the guitar? 너는 기타를 치지 못하니?
**Doesn't** he learn French? 그는 프랑스 어를 배우지 않니?

**❓🔍 빈칸에 알맞은 말을 고르세요.**

**1** (Did / Didn't) John swim? 존은 수영을 하지 않았니?

**2** Which (isn't / is) hot among these? 이것들 중 어느 것이 뜨겁지 않니?

**3** (Won't / Will) you eat this? (너는) 이거 안 먹을 거니?

### ⓑ 부정 의문문에 대답하기

우리말은 질문이 '~ 않니?'라면, 그 질문 자체에 긍정 혹은 부정을 하지만, 영어는 대답의 내용이 긍정이면 yes, 부정이면 no를 쓴다.

**Q:** Weren't you tired? 피곤하지 않았니?
**A:** **No, I weren't.** 응, 피곤하지 않았어.

**Q:** Can't you play the guitar? 너는 기타를 치지 못하니?
**A:** **Yes, I can.** 아니, 칠 수 있어.

**Q:** **Who isn't** busy now? 누가 지금 바쁘지 않니?
**A:** **Stella isn't** busy now. 스텔라가 지금 바쁘지 않아.

**❓🔍 빈칸에 알맞은 말을 쓰세요.**

**1 Q:** Won't you leave tomorrow? (너는) 내일 떠나지 않을 거니?

　**A:** _____, I won't. 응, 떠나지 않을 거야.

**2 Q:** Wasn't he jumping rope? 그는 줄넘기를 하고 있지 않았니?

　**A:** _____, he was. 아니, 줄넘기를 하고 있었어.

# Check up a-b

간단한 쓰기 연습을 통해 앞에서 배운 내용을 확인해 보세요.

**A** 우리말과 같은 뜻이 되도록 빈칸에 알맞은 말을 쓰세요.

1 (너는) 숙제하고 있는 거 아니니?

⇨ _____ you doing your homework?

2 (너는) 그때 존에게 전화를 하고 있지 않았니?

⇨ _____ you calling John then?

3 그녀는 왜 병원에 다니지 않니?

⇨ Why _____ she go to hospital?

4 카터 씨는 한국으로 여행 가지 않을 거니?

⇨ _____ Mr. Carter go on a trip to Korea?

5 그들은 어제 낚시하러 가지 않았니?

⇨ _____ they go fishing yesterday?

**B** 빈칸에 알맞은 말을 넣어 대화를 완성하세요.

1 **A:** _____ you have dinner today? (너는) 오늘 저녁 안 먹을 거니?

**B:** _____, I will. 아니, 먹을 거야.

2 **A:** Who _____ go camping? 누가 캠핑하러 안 갔니?

**B:** Julie and Sam _____ go. 줄리와 샘이 안 갔어.

3. **A:** _____ he run faster? 그는 더 빨리 뛸 수 없니?

**B:** _____, he can't. 응, 더 빨리 뛸 수 없어.

4 **A:** _____ you interested in a musical? (너는) 뮤지컬에 관심 없니?

**B:** No, _____ not. 응, 관심 없어.

**c** 부가 의문문 만들기 ❶

무언가를 말하고 나서 확인하듯 '그렇지 않니?', '그럴래?' 등과 같은 표현을 덧붙여 묻는 것을 말하는데, 긍정문일 때에는 '그렇지 않니?'를, 부정문일 때에는 '그렇지?'를 덧붙인다.

| 긍정문 | Justine wants to be a singer, **doesn't he?**<br>저스틴은 가수가 되고 싶어, **그렇지 않니?**<br><br>You are middle school students, **aren't you?**<br>너희는 중학생이야, **그렇지 않니?** |
|---|---|
| 부정문 | She doesn't like dogs, **does she?**<br>그녀는 개를 좋아하지 않아, **그렇지?**<br><br>Jenny and Bobby aren't teachers, **are they?**<br>제니와 바비는 선생님이 아니야, **그렇지?** |

**TIPs** 부가 의문문에는 항상 축약형을 쓴다.

**?Q** 빈칸에 알맞은 말을 고르세요.

**1** She isn't Kristine, (is / isn't) she? 그녀는 크리스틴이 아니야, 그렇지?

**2** They are actors, (are / aren't) they? 그들은 배우야, 그렇지 않니?

**3** Kate can't cook, (can / does) she? 케이트는 요리를 못해, 그렇지?

**d** 부가 의문문 만들기 ❷

명령문과 Let's 문장에도 부가 의문문을 덧붙일 수 있는데, 긍정과 부정에 상관 없이 형태가 동일하며, 명령문에는 will you, Let's 문장에는 shall we 를 붙인다.

| 명령문, will you?:<br>~해(라), 알았지? | Don't be late, **will you?** 늦지 마, **알았지?**<br>Wash your hands first, **will you?** 손부터 씻어, **알았지?** |
|---|---|
| Let's ~, shall we?<br>: ~하자, 알았지? | Let's go skating, **shall we?** 스케이트 타러 가자, **알았지?**<br>Let's have dinner, **shall we?** 저녁 먹자, **알았지?** |

**TIPs** 부가 의문문에 대한 대답은 부정 의문문과 동일하다.

**?Q** 빈칸에 알맞은 말을 쓰세요.

**1** Let's go shopping, _____ _____? 쇼핑하러 가자, 알았지?

**2** Get up earlier tomorrow, _____ _____? 내일은 더 일찍 일어나, 알았지?

**3** Don't read my diary, _____ _____? 내 일기 읽지 마, 알았지?

# Check up ⭐ c-d 간단한 쓰기 연습을 통해 앞에서 배운 내용을 확인해 보세요.

## Ⓐ 밑줄 친 우리말을 영어로 옮겨 쓰세요.

1 She doesn't live in Seoul, 그렇지? ⇨

2 You bought the red shoes, 그렇지 않니? ⇨

3 Let's go skating today, 알았지? ⇨

4 He will not go to Paris, 그렇지? ⇨

5 Close the window, 알았지? ⇨

6 Don't make a noise, 알았지? ⇨

7 He didn't run the fastest, 그렇지? ⇨

8 That girl is lovely, 그렇지 않니? ⇨

## Ⓑ 빈칸에 알맞은 말을 쓰세요.

1 이 가방은 너무 커, 그렇지 않니?

⇨ This bag is too big,          it?

2 곰은 날 수 없어, 그렇지?

⇨ A bear          fly, can it?

3 점심 먹자, 알았지?

⇨          have lunch, shall          ?

4 이 코트 입어 봐, 알았지?

⇨ Try this coat on,          ?

5 브라운 씨는 너보다 크지 않았어, 그렇지?

⇨ Mr. Brown          taller than you, was          ?

# Build up

이번 Lesson에서 배운 내용을 토대로 작문 실력을 키워 보세요.

**A** 우리말과 같은 뜻이 되도록 빈칸에 알맞은 말을 쓰세요.

1  야구는 지루하지 않니?  ⇨  _____ baseball boring?

2  여행 가자, 알았지?  ⇨  Let's go on a trip, _____ we?

3  왜 떠나지 않았니?  ⇨  Why _____ you leave?

4  여기서 노래하지 마, 알았지?  ⇨  Don't sing here, _____ you?

5  재은이는 안 왔니?  ⇨  _____ Jae-eun come?

6  날이 따뜻해, 그렇지 않니?  ⇨  It's warm, _____ it?

**B** 밑줄 친 곳을 바르게 고쳐 쓰세요.

1  That man is a singer, <u>is he</u>?  저 남자는 가수야, 그렇지 않니?

   _____  →  _____

2  You wrote a book, <u>did you</u>?  넌 책을 한 권 썼어, 그렇지 않니?

   _____  →  _____

3  Who <u>her family isn't</u>?  누가 그녀의 가족이 아니니?

   _____  →  _____

4  <u>Not is</u> Susie interested in musical?  수지는 뮤지컬에 관심이 없니?

   _____  →  _____

5  <u>Are penguins not</u> able to fly?  펭귄은 날 수 없니?

   _____  →  _____

**C** 괄호 안의 말을 사용하여 우리말을 영어로 옮기세요.

1  그들은 배우가 아니야, 그렇지? (actors, be)

⇨ _____

2  한글은 배우기 쉬워, 그렇지 않니? (it, Hangeul, easy to learn, be)

⇨ _____

3  너희 개는 사과를 먹지 않니? (your dog, eat apples)

⇨ _____

4  집에 늦게 들어오지 마, 알았지? (come home late)

⇨ _____

5  왜 저 새는 날지 못하니? (can, that bird, fly)

⇨ _____

**D** 보기에서 알맞은 말을 골라 대화를 완성하세요.

> Yes, I did.   Don't worry, will you?
>
> No, they didn't.   Who can't play the violin?

1  **Q:** Didn't the boys make a noise?  그 소년들이 시끄럽게 굴지 않았니?

**A:** _____  응, 그들은 그러지 않았어.

2  **Q:** _____  누가 바이올린을 못 켜니?

**A:** I can't play the violin.  내가 바이올린을 못 켜.

3  **Q:** _____  걱정 마, 알았지?

**A:** No, I won't.  응, 알았어.

4  **Q:** You met Eric today, didn't you?  너는 오늘 에릭을 만났어, 그렇지 않니?

**A:** _____  응, 그래.

# 접속사

두 개 이상의 단어, 구, 문장 등을 한 문장에 담아야 하는 경우에 반드시 필요한 것이 접속사이다. 여러 가지 **접속사의 의미와 역할**을 알고 정확하게 사용할 수 있으면 독해와 작문 실력이 크게 향상된다.

## ⓐ and, or, but

각각 '그리고', '또는', '그러나'의 의미를 갖고 있는 접속사인데, 두 가지를 연결할 때에는 「A and/or/but B」, 세 개 이상의 것을 연결할 경우에는 「A, B, and/or C」의 형태로 쓴다.

| | |
|---|---|
| and<br>~와[과], 그리고 | **John and I** are friends. 존과 나는 친구이다.<br>I like **apples, kiwis, and lemons**. 나는 사과와 키위와 레몬을 좋아한다. |
| or<br>또는, 아니면 | Was it **a dog or a cat**? 그것은 개였니 아니면 고양이였니?<br>Which is yours, **white, red, or blue**?<br>흰색, 빨간색, 파란색 중 어느 것이 네 거니? |
| but<br>하지만, 그러나 | He is **tall but cute**. 그는 키가 크지만 귀엽다.<br>I was sad, **but** he wasn't. 나는 슬펐지만 그는 그렇지 않았다. |

**TIPs** but은 대조적인 의미 두 가지를 나타내는 말이므로 세 개 이상을 연결하는 경우는 거의 없다.

**❓Q** 빈칸에 알맞은 접속사를 쓰세요.

**1** Here are a lemon, an egg, _____ some butter.

**2** Which do you like best – soccer, baseball, _____ tennis?

## ⓑ 명령문과 and/or

'~하면/하지 않으면, ~할 것이다.'라는 표현을 할 때 and와 or를 쓸 수 있으며, 이때 and/or 다음에 오는 문장에는 미래 시제를 쓴다.

| | |
|---|---|
| 명령문+ and | **Call her now, and** you will hear good news.<br>지금 그녀에게 **전화하면**, 좋은 소식을 듣게 될 거야. |
| 명령문+ or | **Call her now, or** you won't hear good news.<br>지금 그녀에게 **전화하지 않으면**, 좋은 소식을 듣지 못할 거야. |

**❓Q** 빈칸에 알맞은 접속사를 쓰세요.

**1** Hurry up, _____ you won't be late. 서두르면, 늦지 않을 거야.

**2** Take medicine, _____ you will be worse.

약을 먹지 않으면, 몸이 더 나빠질 거야.

# Check up 🔴ᵃ⁻ᵇ 간단한 쓰기 연습을 통해 앞에서 배운 내용을 확인해 보세요.

**A** 우리말과 같은 뜻이 되도록 빈칸에 알맞은 말을 쓰세요.

1  계란 한 개와 우유 한 잔  ⇨  an egg ⬜ a glass of milk

2  연필 또는 펜  ⇨  a pencil ⬜ a pen

3  슬프지만 아름다운  ⇨  sad ⬜ beautiful

4  피아노와 바이올린과 첼로  ⇨  a piano, a violin, ⬜ a cello

5  커피 또는 홍차 또는 녹차  ⇨  coffee, tea, ⬜ green tea

**B** 보기에서 알맞은 말을 골라 문장을 완성하세요.

> some cheese and bananas   and you will see Tom   tacos or hamburgers
> or you will be late   but I don't like him

1  그는 잘생겼지만 나는 그를 좋아하지 않는다.

⇨ He is handsome, ⬜.

2  지금 TV를 켜면, 톰을 보게 될 거야.

⇨ Turn on the TV now, ⬜.

3  서두르지 않으면, 지각할 거야.

⇨ Hurry up, ⬜.

4  치즈와 바나나가 조금 있었다.

⇨ There were ⬜.

5  타코와 햄버거 중 어떤 걸 먹을래?

⇨ Which do you want, ⬜?

접속사

## c  because, so

because는 원인 또는 이유를 말할 때 쓰고, so는 결과를 말할 때 쓴다.

| because: ~때문에<br>(원인, 이유) | I can't see **because** it's dark here.<br>여기는 **어둡기 때문에** 볼 수가 없다. |
| --- | --- |
| so: 그래서<br>(결과) | It's dark here, **so** I can't see.<br>여기는 **어두워서** 볼 수가 없다. |

**?Q** 빈칸에 알맞은 접속사를 쓰세요.

**1** 나는 피곤해서 일찍 잤다.

➡ I was tired yesterday, _____ I went to bed early.

**2** (나는) 그 개가 너무 커서 만질 수가 없다.

➡ I can't touch the dog _____ it's too big.

## d  that

that은 앞서 배운 것처럼 지시사로도 자주 쓰이지만, 문장과 문장을 연결하는 접속사로도 흔히 쓰인다. 이때의 that은 「that + 주어 + 동사 ~」의 형태로 써서 명사와 같은 역할을 하는 명사절을 만들 수 있다.

| 「that + 주어 + 동사 ~」 ~라는 것 | |
| --- | --- |
| 주어 | **That he is a doctor** is true. 그가 의사라는 것은 사실이다. |
| 보어 | The problem is **that she isn't honest**. 문제는 그녀가 정직하지 않다는 것이다. |
| 목적어 | I know **that you learned Korean**. 나는 네가 한국어를 배웠다는 것을 알고 있다. |

**TIPs**
목적어로 쓸 때에는 that을 생략할 수 있다.

**?Q** 빈칸에 알맞은 말을 쓰세요.

**1** I think _____ Hanna is honest. 나는 한나가 정직하다고 생각한다.

**2** _____ I like you is true. 내가 너를 좋아한다는 것은 사실이다.

**186** VI. 문장의 확장

# Check up 🔑 <sup>c-d</sup> 간단한 쓰기 연습을 통해 앞에서 배운 내용을 확인해 보세요.

**Ⓐ** 우리말과 같은 뜻이 되도록 빈칸에 알맞은 말을 쓰세요.

1 (나는) 햇빛이 너무 강해서 눈을 뜰 수가 없어.

⇨ Sunshine is too strong,          I can't open my eyes.

2 (나는) 그가 돌아온다는 것을 믿을 수 없어.

⇨ I can't believe         he comes back.

3 존이 피아노를 치고 있어서 네 목소리가 안 들려.

⇨ I can't hear you        John is playing the piano.

4 네가 열두 살이라는 것이 사실이니?

⇨ Is it true        you are twelve years old?

5 수지는 조이를 만나서 매우 행복했다.

⇨ Susie was very happy        she met Joey.

**Ⓑ** 보기에서 알맞은 말을 골라 문장을 완성하세요.

> that the girl is ten            that Jenny came here
> so I turned on a light       because John came back

1 린은 존이 돌아와서 기뻤다.

⇨ Lyn was happy             .

2 그 소녀가 열 살이라는 것은 사실이 아니니?

⇨ Isn't it true           ?

3 방이 어두워서 불을 켰다.

⇨ The room was dark,          .

4 (너는) 제니가 여기 왔다는 것을 들었니?

⇨ Did you hear            ?

# Build up

이번 Lesson에서 배운 내용을 토대로 작문 실력을 키워 보세요.

**A** 우리말과 같은 뜻이 되도록 빈칸에 알맞은 말을 쓰세요. .

1 설탕과 우유와 밀가루 ⇨ sugar, milk, _____ flour

2 흰색, 검은색, 또는 은색 ⇨ white, black, _____ silver

3 그들은 학생이기 때문에 ⇨ _____ they are students

4 그래서 준은 TV를 껐다 ⇨ _____ June turned the TV off

5 예쁘지만 강한 ⇨ pretty _____ strong

6 넓고 깊은 ⇨ wide _____ deep


**B** 밑줄 친 곳을 바르게 고쳐 쓰세요.

1 <u>Those</u> they will leave isn't true.  그들이 떠난다는 것은 사실이 아니다.

_____ → _____

2 It's hot, <u>because</u> I will go swimming. 날이 더워서 수영하러 갈 것이다.

_____ → _____

3 There are three oranges <u>or</u> a kiwi. 오렌지 세 개와 키위 하나가 있다.

_____ → _____

4 I called you <u>so</u> I missed you. 네가 그리워서 전화를 했어.

_____ → _____

5 Get up early, <u>or</u> you won't be late.  일찍 일어나면 늦지 않을 거야.

_____ → _____

**C** 밑줄 친 곳을 우리말로 옮겨 쓰세요.

1 I got wet with rain because I didn't have an umbrella.

⇨ _____

2 Read many books, and you will be smarter.

⇨ _____

3 They needed to buy some cheese, milk, and sugar.

⇨ _____

4 Adam knew that she didn't cook.

⇨ _____

5 The room was hot, so I opened the window.

⇨ _____

**D** 밑줄 친 우리말을 영어로 옮겨 쓰세요.

1 Mr. Brown is 키가 작지만 힘이 센.

⇨ _____

2 일찍 일어나, 그렇지 않으면 you will be late again.

⇨ _____

3 Will you go there 버스를 타고 아니면 걸어서?

⇨ _____

4 Kelly doesn't know 아버지가 떠났다는 것을

⇨ _____

5 I stayed at home 비가 오고 있었기 때문에

⇨ _____

# Review Test

[1-3] 빈칸에 알맞은 말을 고르세요.

**1**

I am short _____ strong.

① and                    ② or                    ③ but
④ so                     ⑤ because


**2**

He got up late, _____ he was late again.

① because                ② or                    ③ that
④ so                     ⑤ but


**3**

She didn't go to school _____ she was sick.

① because                ② and                   ③ that
④ so                     ⑤ but


[4-5] 다음 빈칸에 차례대로 알맞은 것을 고르세요.

**4**

· Nancy _____ Tina are good friends.
· He is young, _____ he is clever.

① and – that            ② and – or             ③ and – so
④ and – because         ⑤ and – but


**5**

· Take medicine, _____ you'll get better soon.
· Which color do you want, red _____ blue?

① or – or               ② and – or             ③ or – and
④ and – and             ⑤ and – but

**6** 밑줄 친 부분이 바르지 <u>않은</u> 것을 고르세요.

① Jason is tall, <u>but</u> Paul is short.

② This dress looks beautiful <u>but</u> lovely.

③ Is that a pen <u>or</u> a pencil?

④ Hurry up, <u>or</u> you won't take the train.

⑤ I am a doctor, <u>and</u> Mike is a nurse.

**[7-8]** 빈칸에 공통으로 들어갈 수 있는 말을 고르세요.

**7**

> • I know _____ he can swim well.
> • Look at _____ little boy.

① and        ② or        ③ because

④ that       ⑤ but

**8**

> • I didn't go for a picnic _____ I was sick.
> • I didn't enjoy my vacation _____ it snowed a lot.

① so         ② that       ③ because

④ or         ⑤ and

**9** 빈칸에 이어질 말로 가장 알맞은 것을 고르세요.

> Kevin plays basketball well _____.

① , or he plays baseball well.

② , and he doesn't play baseball well.

③ , so he plays baseball well.

④ because he doesn't play baseball.

⑤ , but he doesn't play baseball well.

[10-11] 다음 빈칸에 알맞은 말을 고르세요.

**10**

He is too young, _____ he can't go to school.

그는 너무 어려서 학교에 다닐 수 없다.

① that        ② and        ③ because

④ so        ⑤ but

**11**

She can't have breakfast _____ she got up late.

그녀는 늦게 일어났기 때문에 아침 식사를 못 한다.

① that        ② and        ③ because

④ so        ⑤ but

**12** 밑줄 친 부분의 쓰임이 다른 것을 고르세요.

① I know that this is an easy problem.

② Do you know that boy?

③ I believe that she is smart.

④ That he is honest is true.

⑤ The trouble is that he is busy.

**13** 다음 우리말을 영어로 바르게 옮긴 것을 고르세요.

오른쪽으로 돌면, (너는) 우체국을 발견할 거야.

① Turn right, and you won't find the post office.

② Turn right, or you won't find the post office.

③ Turn right, and you will find the post office.

④ Turn right, or you will find the post office.

⑤ Turn right, and you can't find the post office.

**14** 다음 중 밑줄 친 that을 생략할 수 <u>없는</u> 것을 고르세요.

① Do you think <u>that</u> he is wrong?

② I hope <u>that</u> you'll win the game.

③ I think <u>that</u> you are very kind.

④ He said <u>that</u> he needed some milk.

⑤ Do you know <u>that</u> lady over there?

**15** 다음 중 잘못된 문장을 고르세요.

① He was sick, because he couldn't go to church.

② Don't worry about it, will you?

③ He went to the party, but his sister didn't.

④ That he will return is clear.

⑤ Take a deep breath, and you'll feel better.

**[16-20] 우리말과 같은 뜻이 되도록 빈칸에 알맞은 말을 쓰세요.**

**16** 샘은 날씨가 너무 추워서 집에 빨리 돌아갔다.

⇨ It was too cold, _____ Sam got back home early.

**17** 우리는 조가 춤을 추지 않을 거라는 것을 안다.

⇨ We know _____ Joe will not dance.

**18** 비가 내리고 있어서 계획을 바꾸는 게 좋겠어.

⇨ I should change my plan _____ it is raining.

**19** 나는 잭이 세상에서 노래를 제일 잘한다고 생각해.

⇨ I think _____ Jack sings the best in the world.

**20** 지금 그녀에게 전화하지 않으면, 그녀가 걱정할 거야.

⇨ Call her now, _____ she will be worried.

# One more tab 6

## an apple, a kiwi, and two oranges
## *vs.* an apple, a kiwi and two oranges

Grammar tab에서는 위의 것으로 써야 한다고 했는데, 외국에서 사온 원서에는 아래의 것으로 쓰인 경우가 많이 있습니다. 이상하죠? 결론부터 말하자면, 위의 것은 '미국 문법'을 따른 것이며, 아래는 '영국 문법'을 따른 것입니다. 미국과 영국은 둘 다 영어를 쓰는 나라이지만, 아메리카 대륙과 유럽 대륙이라는 엄청난 지리적인 거리가 있는 나라들입니다. 언어는 거리가 멀어지면 함께 소통하기 위한 약속이 유지되기 어렵기 때문에, 원래는 '영국 언어'라는 뜻인 '영어'이지만, 미국이라는 나라에서 사용하는 영어는 영국에서 쓰는 언어와는 표현이나 약속이 다릅니다. 처음에는 똑같이 썼지만, 시간이 흐르고 그 말을 쓰는 사람들이 바뀌고 게다가 각 나라의 문화가 달라져서 지키는 약속과 규정된 약속 모두 변한 것이죠. 그중 대표적인 것이 바로 punctuation이라는 문장 부호 사용입니다. 다른 것을 하나 더 예로 들어 보죠.

**I was studying the insects, and they were studying the frogs.**
나는 그 곤충들을 연구하고 있었고 그들은 그 개구리들을 연구하고 있었다.

이렇게 두 문장을 and나 or, but 등의 접속사로 연결할 때에 미국 문법 규정은 and 앞에 쉼표를 쓰게 되어 있습니다. 하지만 영국 문법 규정에서는 쉼표를 쓰지 않는 것이 원칙이므로 영국인 입장에서 위의 문장은 틀린 것입니다. 단어의 쓰임은 더욱 큰 차이가 있어서 영국 영어와 미국 영어를 정확히 분리해서 배우지 않으면, 어느 나라에 가도 틀린 표현이 많은 뒤죽박죽 영어가 되겠죠? 우리나라 교육 과정에서는 '현대 미국 영어'를 영어 과목의 기준으로 삼고 있으며, TOEIC, TOEFL 등의 공인 영어 능력 시험의 대다수가 미국 영어를 기준으로 하기 때문에, Grammar tab은 이에 맞춰 모든 문법 규칙을 '현대 미국 영어'를 기준으로 실었습니다.

# Ten Useful Notes for Grammar tab 2

## 2권을 끝내고 정리해 두면 좋을 열 가지

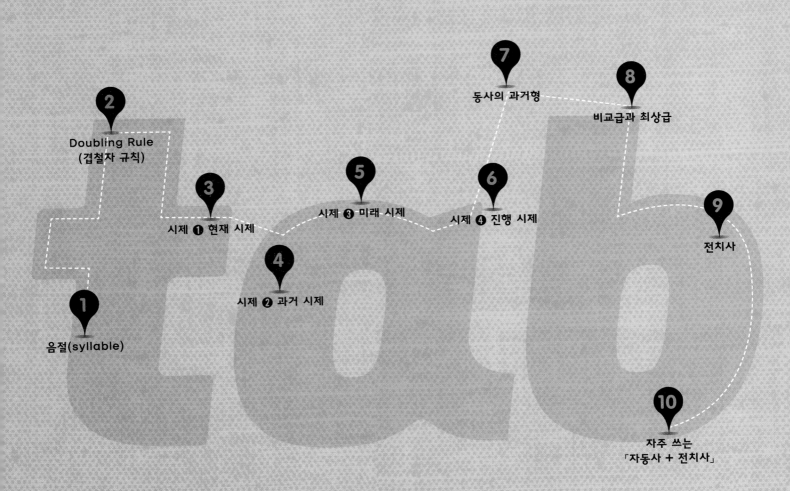

7 동사의 과거형

8 비교급과 최상급

2 Doubling Rule (겹철자 규칙)

3 시제 ❶ 현재 시제

5 시제 ❸ 미래 시제

6 시제 ❹ 진행 시제

9 전치사

4 시제 ❷ 과거 시제

1 음절(syllable)

10 자주 쓰는 「자동사 + 전치사」

# 1 음절(syllable)

음절은 소리가 나는 단위를 말하는데, 모음은 혼자서 하나의 음절을 이룰 수 있지만, 자음은 혼자서는 하나의 음절을 이룰 수 없다.

| 1음절 | cut, school, class, good, bad, friend, desk, word, swim |
|---|---|
| 2음절 | prefer, sentence, giraffe, coffee, paper, soccer, eggplant |
| 3음절 | elephant, cucumber, coconut, umbrella, apartment, interest |

주의: 음절은 모음의 소리가 몇 개이냐가 기준이 된다. giraffe의 경우 i, a, e 세 개의 모음이 들어 있지만, 마지막 e는 소리 나지 않으므로 2음절이다. coffee도 모음인 글자 수는 세 개이지만, 마지막 ee는 하나로 소리가 나기 때문에 하나의 음절이므로 2음절이다. school, friend 등의 단어가 1음절인 이유도 마찬가지이다. 우리말 식으로는 '스-쿨'과 '프-렌-드'라고 분절되어 발음된다고 생각하기 쉬우나. s, f, d는 모음 소리가 나지 않으므로 음절 수와 관계가 없다.

# 2 Doubling Rule (겹철자 규칙)

영어 단어에 특정한 어미(-ing,-ed,-er,-est)를 붙일 때, 단어가 '단자음 – 단모음 – 단자음'으로 끝나고 이 단모음에 강세가 올 경우 마지막 자음을 한 번 더 써 주고 어미를 붙이는데, 이것을 doubling이라고 한다.

| 1음절<br>'단자음–단모음–단자음'으로 끝나는 1음절 단어는 모음이 하나이므로 마지막 모음에 강세가 온다. 따라서. 무조건 doubling을 해야 한다. | cut → cutting<br>run → running<br>stop → stopping, stopped | swim → swimming<br>chat → chatting, chatted |
|---|---|---|
| | fat → fatter, the fattest<br>thin → thinner, the thinnest | hot → hotter, the hottest<br>wet → wetter, the wettest |
| 2음절 이상<br>'단자음–단모음–단자음'으로 끝날 경우에도 visit, offer 등과 같이 강세가 마지막 음절에 오지 않고 앞에 오면 doubling을 하지 않는다. | prefer → preferring, preferred<br>occur → occurring, occurred<br>*offer → offering, offered | refer → referring, referred<br>*visit → visiting, visited<br>*travel → travel(l)ing, travel(l)ed |

주의: 마지막이 e로 끝나는 take, ride, write 등의 단어에 doubling을 해야 할 것이라고 생각하는 학생들이 많은데, doubling은 마지막 글자 자체가 단자음일 때에만 한다. travel의 경우, 영국 영어에서는 doubling을 하지만, 미국 영어에서는 doubling하지 않는다.

# 3 시제 ❶ 현재 시제

〈be동사 현재〉 – 주어의 인칭과 수에 따라 am, are, is 중 하나를 쓴다.

| 긍정 | 부정「be + not」 |
|---|---|
| I am[I'm] | I am not[I'm not] |
| You are[You're] | You are not[You're not/You aren't] |
| He is[He's] | He is not[He's not/He isn't] |
| She is[She's] | She is not[She's not/She isn't] |
| It is[It's] | It is not[It's not/It isn't] |
| We are[We're] | We are not[We're not/We aren't] |
| You are[You're] | You are not[You're not/You aren't] |
| They are[They're] | They are not[They're not/They aren't] |

〈일반동사 현재〉 주어의 인칭과 수에 따라 동사의 형태가 달라진다.

| 긍정 | 부정「don't/doesn't + 동사 원형」 |
|---|---|
| I sing. / I study.<br>You sing. / You study.<br>**He/She/It sings.** / **He/She/It studies.**<br>We sing. / We study.<br>You sing. / You study.<br>They sing. / They study. | I don't sing. / I don't study.<br>You don't sing. / You don't study.<br>**He/She/It doesn't** sing. / **He/She/It doesn't** study.<br>We don't sing. / We don't study.<br>You don't sing. / You don't study.<br>They don't sing. / They don't study. |

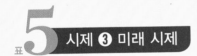

## 표4 시제 ❷ 과거 시제

〈be동사 과거〉 – 주어의 인칭과 수에 따라 was 또는 were를 쓴다.

| 긍정 | 부정「was/were + not」 | 긍정 | 부정「was/were + not」 |
|---|---|---|---|
| **I was**<br>**You were**<br>**He/She/It was** | **I was not[wasn't]**<br>**You were not[weren't]**<br>**He/She/It was not[wasn't]** | **We were**<br>**You were**<br>**They were** | **We were not[weren't]**<br>**You were not[weren't]**<br>**They were not[weren't]** |

〈일반동사 과거〉 – 주어의 인칭과 수에 영향을 받지 않고 동일한 형태로 쓴다.

| 긍정 | 부정「didn't + 동사 원형」 | 긍정 | 부정「didn't + 동사 원형」 |
|---|---|---|---|
| I **stopped.**<br>You **stopped.**<br>He **stopped.**<br>She **stopped.** | I **didn't stop.**<br>You **didn't stop.**<br>He **didn't stop.**<br>She **didn't stop.** | It **stopped.**<br>We **stopped.**<br>You **stopped.**<br>They **stopped.** | It **didn't stop.**<br>We **didn't stop.**<br>You **didn't stop.**<br>They **didn't stop.** |

## 표5 시제 ❸ 미래 시제  will 또는 be going to 다음에 동사 원형을 쓴다.

| 긍정「will/be going to + 동사 원형」 | 부정「will not/be not going to + 동사 원형」 |
|---|---|
| I **will go.** = I **am going to go.**<br>You **will go.** = You **are going to go.**<br>He **will go.** = He **is going to go.**<br>She **will go.** = She **is going to go.**<br>It **will go.** = It **is going to go.**<br>We **will go.** = We **are going to go.**<br>You **will go.** = You **are going to go.**<br>They **will go.** = They **are going to go.** | I **will not[won't]** go. = I **am not going to go.**<br>You **will not[won't]** go. = You **are not going to go.**<br>He **will not[won't]** go. = He **is not going to go.**<br>She **will not[won't]** go. = She **is not going to go.**<br>It **will not[won't]** go. = It **is not going to go.**<br>We **will not[won't]** go. = We **are not going to go.**<br>You **will not[won't]** go. = You **are not going to go.**<br>They **will not[won't]** go. = They **are not going to go.** |

주의: be동사의 미래 시제는 will be 또는 be going to be로 쓴다.

## 표 6 시제 ❹ 진행 시제
지금 하고 있는 행동 등을 말할 때 쓴다.

〈현재 진행〉 – 현재 시제는 습관이나 반복적으로 하는 일을 말할 때 쓰지만, 현재 진행 시제는 지금 하고 있는 행동이나 일을 말할 때 쓴다.

「be동사 현재 + 동사 원형 -ing」

I **am drinking** orange juice.  나는 (지금) 오렌지 주스를 마시고 있다.
I drink orange juice.  나는 (평소에) 오렌지 주스를 마신다.

You **are running**.  너는 (지금) 달리고 있다.
You run every morning.  너는 아침마다 달린다.

He **is going** to school.  그는 (지금) 학교에 가고 있다.
He goes to school.  그는 (평소에) 학교에 간다.

My parents **are watching** TV news.  부모님은 (지금) 텔레비전 뉴스를 보고 있다.
My parents watch TV news every day.  부모님은 매일 텔레비전 뉴스를 본다.

〈과거 진행〉 – 과거 시제는 과거의 어느 특정한 시점에 일어난 행위나 일을 말할 때 쓰지만, 과거 진행 시제는 그 시점에 하고 있었던, 즉 진행 중이었던 행동이나 일을 말할 때 쓴다.

「be동사 과거 + 동사 원형 -ing」

Mom came late that night.  엄마는 그날 밤 늦게 들어왔다.
I **was studying** then.  나는 그때 공부를 하고 있었다.

His father got upset,  그의 아버지는 화가 나 있었고,
and he **was standing** in the corner.  그는 한쪽 구석에서 벌을 서고 있었다.

Tim got out at twelve thirty,  팀은 두 시 삼십 분에 밖으로 나갔지만,
but it **was raining** outside.  밖에는 비가 내리고 있었다.
He didn't have an umbrella.  그는 우산을 갖고 있지 않았다.

## 표 7 동사의 과거형
동사 과거형을 만드는 규칙을 익히고, 불규칙 변화 목록은 반드시 암기해 두어야 한다.

| 1 | 대부분의 동사에 –(e)d를 붙여 과거형을 만들 수 있다. | | | |
|---|---|---|---|---|
| | work → worked | arrive → arrived | look → looked | watch → watched |
| | help → helped | finish → finished | invite → invited | talk → talked |
| | wash → washed | call → called | wait → waited | need → needed |
| | live → lived | rain → rained | stay → stayed | end → ended |
| | tie → tied | want → wanted | listen → listened | cook → cooked |
| | bake → baked | | | |

| 2 | 「-자음 + y」로 끝나는 동사는 y를 i로 바꾸고 -ed를 붙인다. | | | |
|---|---|---|---|---|
| | study → studied | hurry → hurried | reply → replied | carry → carried |
| | cry → cried | try → tried | | |

| 3 | 「-단자음 + 단모음 + 단자음」으로 끝나는 동사는 **doubling** 한다. | | | |
|---|---|---|---|---|
| | stop → stopped | chat → chatted | prefer → preferred | refer → referred |
| | occur → occurred | admit → admitted | rob → robbed | pat → patted |
| | drop → dropped | hop → hopped | skip → skipped | step → stepped |

| 4 | 규칙과 전혀 다른 형태로 변화하는 동사들도 있다. | | | |
|---|---|---|---|---|
| | be → was/were | become → became | begin → began | blow → blew |
| | break → broke | bring → brought | build → built | buy → bought |
| | catch → caught | choose → chose | come → came | cost → cost |
| | cut → cut | do → did | draw → drew | *dream → dreamt |
| | drink → drank | drive → drove | eat → ate | fall → fell |
| | feel → felt | fight → fought | find → found | fit → fit |
| | fly → flew | forget → forgot | get → got | give → gave |
| | go → went | grow → grew | have → had | hear → heard |
| | hide → hid | hit → hit | hold → held | hurt → hurt |
| | keep → kept | know → knew | lead → led | leave → left |
| | let → let | lie → lay | light → lit | lose → lost |
| | make → made | mean → meant | meet → met | pay → paid |
| | put → put | quit → quit | read → read | ride → rode |
| | ring → rang | rise → rose | run → ran | say → said |
| | see → saw | sell → sold | send → sent | set → set |
| | shake → shook | sing → sang | speak → spoke | spend → spent |
| | stand → stood | steal → stole | swim → swam | take → took |
| | teach → taught | tell → told | think → thought | throw → threw |
| | understand → understood | | wear → wore | win → won |
| | write → wrote | | | |

주의: dream과 light는 규칙 변화 즉. dreamed와 lighted로 쓰기도 한다.

# 8 비교급과 최상급

| 1 | 대부분의 형용사와 부사에 -(e)r을 붙여 비교급을, -(e)st를 붙여 최상급을 만들 수 있다. | |
|---|---|---|
| | fast → faster → the fastest | nice → nicer → the nicest |
| | high → higher → the highest | tall → taller → the tallest |
| | short → shorter → the shortest | long → longer → the longest |
| | large → larger → the largest | small → smaller → the smallest |
| | *hot → hotter → the hottest | |

| 2 | -y로 끝나는 경우에는 y를 i로 바꾸고 -er 또는 -est를 붙인다. | |
|---|---|---|
| | pretty → prettier → the prettiest | early → earlier → the earliest |
| | heavy → heavier → the heaviest | busy → busier → the busiest |
| | ugly → uglier → the ugliest | easy → easier → the easiest |
| | funny → funnier → the funniest | happy → happier → the happiest |

| | |
|---|---|
| 3 | 3음절 이상이거나 -ful 또는 –ly로 끝나는 형용사에는 **more, most**를 붙여 비교급과 최상급을 만들고, 부사는 3음절 이상인 경우에만 **more, most**를 붙인다.<br><br>wonderful → more wonderful → the most wonderful<br>interesting → more interesting → the most interesting<br>exciting → more exciting → the most exciting<br>coldly → more coldly → the most coldly    quickly → more quickly → the most quickly |
| 4 | 규칙과 전혀 다른 형태의 비교급과 최상급을 쓰는 형용사와 부사도 있다.<br><br>good/well → better → the best        bad/ill → worse → the worst<br>many/much → more → the most        little → less → the least<br>far → farther/further → the farthest/furthest |

주의: hot, fat 등은 doubling에 해당된다. 또한, 영국 영어에서는 2음절 이상인 경우 대부분 more, most를 붙여 비교급과 최상급을 쓴다.

## 표 9 전치사

| | |
|---|---|
| 장소를 나타내는 전치사 | in (~ 안에), on(~ 위에), under (~ 아래에), next to (~ 옆에), between (~ 사이에), behind (~ 뒤에) in front of (~ 앞에), at (~에), near (~ 가까이에) |
| 시간을 나타내는 전치사 | ① in + 연도, 계절, 달, on + 요일, 날짜, 특정한 날, at + 시간, in the morning (아침에), in the afternoon (오후에), in the evening (저녁에), at night (밤에), at dawn (새벽에) |
| | ② for + 며칠, 몇 주, 몇 달, 몇 년 등, during + 계절, 사건 등 |
| | ③ before (~ 전에), after (~ 후에), this (이번), last (지난), next (다음) |
| 방향을 나타내는 전치사 | to (~(으)로), from (~에서/~로부터), from A to B (A에서 B까지), into (~ 안으로), out of (~ 밖으로) across (~을 가로질러서), over (~너머/건너), up (~ 위로), down (~ 아래로) |
| 기타 자주 쓰는 전치사들 | about (~에 대해/대한), *on (~에 대해/대한), for (~을[를] 위해), like (~처럼), with (~와[과] 함께, ~을[를] 가지고), of (~의), by (~(으)로 – 교통 및 통신 수단), *by hand (손으로) |

주의: on은 전문적인 것이나 토론의 주제 앞에만 쓰인다.

## 표 10 동사 + 전치사

| | |
|---|---|
| 동사 + of | be afraid of (~을 두려워하다)  be aware of (~을 깨닫다)  be full of (~으로 가득하다)<br>get rid of (~을 제거하다)  be made of (~(으)로 만들어지다)  be proud of (~을 자랑스러워하다)<br>be sure of (~을 확신하다)  take care of (~을 돌보다)  be tired of (~에 싫증나다)<br>think of (~에 대해 생각하다) |
| 동사 + with | agree with (~의 의견에 동의하다)        be bored with (~에 진력이 나다)<br>be crowded with (~로 붐비다)        be familiar with (~에 익숙하다)<br>fill with (~으로 채우다)        be satisfied with (~에 만족하다) |
| 동사 + in | arrive in (~에 도착하다 – 도시 또는 국가)        believe in (~을 믿다)<br>be interested in (~에 관심이 있다) |

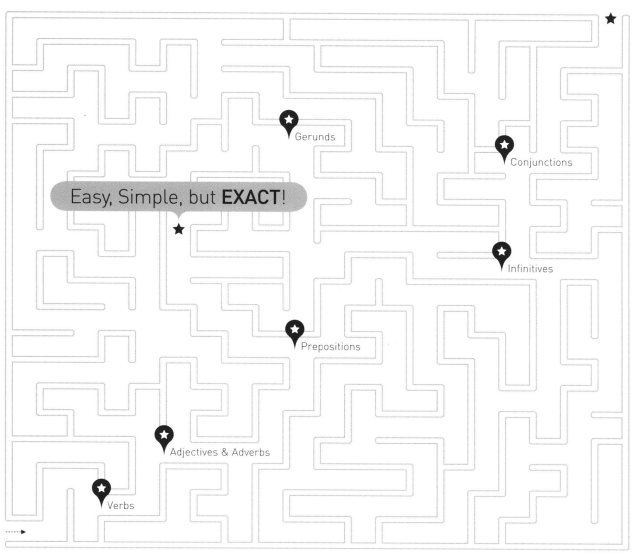

Easy, Simple, but **EXACT**!

Gerunds

Conjunctions

Infinitives

Prepositions

Adjectives & Adverbs

Verbs

# Grammar tab²

## Answer Key

Gerunds

Conjunctions

Easy, Simple, but **EXACT**!

Infinitives

Prepositions

Adjectives & Adverbs

Verbs

# Grammar tab²

## Answer Key

TOPIA

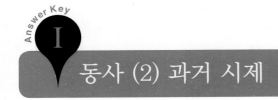

# 동사 (2) 과거 시제

## Lesson 01 be동사 (1)

**p. 16**

ⓐ 1 였다
2 있었다
3 했다[하였다]

ⓑ 1 were
2 were
3 were

**p. 17 Check up**

Ⓐ 1 were
2 was
3 was
4 were
5 was

Ⓑ 1 were
2 was
3 You were
4 They were
5 He was

**p. 18**

ⓒ 1 was      2 was not
3 was not

ⓓ 1 weren't
2 weren't
3 were not

**p. 19 Check up**

Ⓐ 1 was not      2 wasn't
3 weren't      4 wasn't
5 were not

Ⓑ 1 was not      2 weren't
3 were not      4 We weren't
5 They were not

**p. 20 Build up**

Ⓐ 1 was      2 not
3 were      4 were
5 was not

Ⓑ 1 was      2 weren't
3 She wasn't      4 They were not
5 was not

Ⓒ 1 was a student
2 weren't[were not]
3 wasn't[was not] fat
4 weren't[were not] hungry
5 was very famous

Ⓓ 1 The children weren't[were not] brave
2 The computer wasn't[was not] new
3 She was so smart
4 We weren't[were not] tired yesterday
5 He and his dog were at home

## Lesson 02 be동사 (2)

**p. 22**

**ⓐ**
**1** Was, he     **2** Was, the dog
**3** Was, Bill

**ⓑ**
**1** What, was     **2** When, was
**3** Who, was

**p. 23 Check up**

**A**
**1** was     **2** Was
**3** was     **4** Was
**5** was

**B**
**1** Was, he
**2** Who, was
**3** was, was
**4** Was, wasn't
**5** Where, was

**p. 24**

**ⓒ**
**1** Were, you
**2** Were, the dogs
**3** Were, they

**ⓓ**
**1** What, were
**2** Why, were
**3** Who, were

**p. 25 Check up**

**A**
**1** were     **2** Were
**3** were     **4** were
**5** Were

**B**
**1** they weren't     **2** I was
**3** Why were you     **4** When were
**5** they were

**p. 26 Build up**

**A**
**1** Were     **2** What was
**3** Was     **4** was
**5** was

**B**
**1** Was → Were
**2** Were → Was
**3** Was → Were
**4** Were where → Where were
**5** Was why → Why was

**C**
**1** Where were
**2** Was Sunny's mother
**3** What time were you
**4** How many books were
**5** Were they

**D**
**1** Was the guide kind
**2** Were they roommates last month
**3** Was the dog white
**4** Were Sam and Zen angry
**5** Were the children happy

Lesson **03** 일반동사 (1)

**p. 28**

ⓐ
1 opened　2 painted
3 arrived　4 needed
5 worked　6 washed
7 used　8 traveled
9 moved　10 closed

ⓑ
1 tried　2 played
3 carried　4 replied
5 prayed　6 enjoyed
7 fried　8 dried
9 copied　10 studied

**p. 29 Check up**

Ⓐ
1 finished　2 studied
3 brushed　4 loved
5 worried　6 promised
7 cried　8 washed
9 stayed　10 liked

Ⓑ
1 lived　2 learned
3 played　4 rained
5 watched

**p. 30**

ⓒ
1 hugged　2 chatted
3 stopped　4 planned
5 stepped　6 tapped

ⓓ
1 didn't　2 did not
3 didn't　4 did not

**p. 31 Check up**

Ⓐ
1 stopped　2 hugged
3 plan　4 drop
5 chatted

Ⓑ
1 hugged　2 didn't go
3 did not have　4 didn't drop
5 stepped

**p. 32 Build up**

Ⓐ
1 cleaned　2 studied
3 opened　4 needed
5 dropped

Ⓑ
1 studyed → studied
2 cryed → cried
3 useed → used
4 listened → listen
5 clossed → closed

Ⓒ
1 We didn't watch
2 Kelly carried
3 did not brush
4 He didn't come
5 She dropped

Ⓓ
1 He didn't[did not] play tennis at night
2 You learned Korean
3 Joey didn't[did not] bake cookies
4 I listened to the radio
5 She didn't[did not] finish the homework

Lesson **04** 일반동사 (2)

**p. 34**

ⓐ

| | | | |
|---|---|---|---|
| play | ~~go~~ | ~~buy~~ | learn |
| study | ~~teach~~ | ~~tell~~ | walk |
| ~~run~~ | ~~sell~~ | bake | finish |
| end | ~~come~~ | ~~speak~~ | ~~say~~ |
| listen | ~~hear~~ | | |

ⓑ

| | | | |
|---|---|---|---|
| pass | go | ~~cut~~ | pay |
| study | ~~let~~ | bake | ~~put~~ |
| take | ~~hit~~ | ~~hurt~~ | listen |
| ~~cost~~ | drive | | |

**p. 35 Check** ⓤⓟ

Ⓐ  
**1** broke  **2** hurt  
**3** cut  **4** held  
**5** drank  **6** knew  
**7** went  **8** made  
**9** sold  **10** sent

Ⓑ  
**1** made  **2** read  
**3** wrote  **4** went  
**5** bought

**p. 36**

ⓒ  **1** Did, the kids  **2** Did, they  
**3** Did, you

ⓓ  **1** Why, did  
**2** What, did  
**3** Who, did

**p. 37 Check** ⓤⓟ

Ⓐ  
**1** Did  **2** did  
**3** did  **4** Did  
**5** did

Ⓑ  **1** Did, dance  **2** did, eat  
**3** did, teach  **4** did, buy  
**5** Did, go

**p. 38 Build up**

Ⓐ  **1** broke  **2** drank  
**3** went  **4** cut  
**5** sent

Ⓑ  **1** they did  **2** I didn't  
**3** he did  **4** they didn't  
**5** I didn't

Ⓒ  **1** helped your homework  
**2** did the game start  
**3** Julie ate some cake  
**4** Did Tom study  
**5** did Jason go out

Ⓓ  **1** Did Helen send an email  
**2** Andy drank milk last night  
**3** Did they meet Mike in the morning  
**4** She carried a heavy box  
**5** Did Lena clean her room

**p. 40 Review Test**

| | | |
|---|---|---|
| **1** ④ | **2** ② | **3** ⑤ |
| **4** ③ | **5** ② | **6** ④ |
| **7** ① | **8** ② | **9** ③ |
| **10** ④ | **11** ② | **12** ⑤ |
| **13** ② | **14** ⑤ | **15** ③ |

**16** was not  
**17** Did, study  
**18** didn't get  
**19** Who knew  
**20** What time did

# *Review Test* I 해설

**1** stay는 「-자음 + y」로 끝나지 않기 때문에 y를 i로 바꾸지 않는다. stay의 과거형은 stayed

**2** go의 과거형은 불규칙 변화 went

**3** Your sister는 단수이므로 were의 주어가 될 수 없다.

**4** Nancy went to Brazil은 과거 시제이기 때문에 '내일'을 뜻하는 tomorrow는 함께 쓸 수 없다.

**5** ②번을 제외한 문장들은 다음과 같이 써야 한다.
① He drank milk this morning. 그는 오늘 아침에 우유를 마셨다.
③ Did he go to the church? 그는 교회에 갔니?
④ What did you do yesterday? (너는) 어제 뭐했니?
⑤ They were not happy. 그들은 행복하지 않았다.

**6** 일반동사 과거 시제 의문문은 「Did + 주어 + 동사 원형」이므로 첫 번째 문장의 빈칸에는 반드시 동사 원형이 와야 하고, 두 번째 문장은 과거 시제이므로 빈칸에 동사의 과거형이 와야 한다. 따라서, 정답은 ④번

**7** '제이슨은 파일럿이 아니었다.'는 뜻이 되려면 첫 번째 문장의 빈칸에 be동사 과거형이 와야 하는데, 주어가 3인칭 단수이므로 was를 넣어야 한다. 두 번째 문장은 일반동사 과거형의 부정문이므로 not 앞에 did를 써야 한다. 따라서, 정답은 ①번

**8** last night은 '어젯밤에'라는 뜻이므로 이 문장은 과거 시제를 써야 한다. write의 과거형은 wrote이기 때문에 정답은 ②번

**9** 일반동사 과거 시제 의문문은 「Did + 주어 + 동사 원형」이므로 'She went to New York last month.'를 의문문으로 바꾸려면 Did + she + go(went의 동사 원형)에 문장의 나머지 부분을 쓰면 된다.

**10** B가 A의 질문에 대해 '그녀는 수학을 공부했어.'라고 대답했으므로 질문은 그녀가 무엇을 했는지 물어보는 내용이어야 한다. 따라서, 정답은 '매리는 어젯밤에 무엇을 했니?'라는 뜻인 ④번

**11** A가 '그들은 어디 있었니?'라고 물었으므로 B는 그들이 있었던 장소를 밝혀 주어야 한다.
① 다음 주에.
② 그들은 홀에 있었다.
③ 그들은 중국에 갔다.
④ 그들은 서울에 갔다.

⑤ 그들은 굉장히 멋졌다.

**12** 일반동사 과거 시제의 부정문은 「주어 + didn't + 동사 원형」이므로 이 형태에 맞게 쓰인 것을 찾으면 된다.

**13** A가 '너는 어제 바빴니?'라고 물었는데, B가 대답에 이어서 '나는 시간이 없었어.'라고 덧붙였으므로 B의 대답은 바빴다는 긍정의 대답이라는 것을 알 수 있다.

**14** 제시된 대화를 해석하면 다음과 같다.
① 그 남자는 누구였니? – 그는 제이슨은 삼촌이었어.
② 그건 뭐였니? – 그건 바나나였어.
③ 폴은 어디 있었니? – 그는 병원에 있었어.
④ 그것들은 뭐였니? – 그것들은 사과였어.
⑤ 그들은 누구였니? – 그들은 컴퓨터였어.
컴퓨터는 사람이 아니므로 who를 사용하여 묻는 대답에 대한 대답으로 적절하지 않다.

**15** 제시된 대화를 해석하면 다음과 같다.
① Q: 그녀는 점심으로 무얼 먹었니?
  A: 그녀는 샌드위치를 먹었어.
② Q: 너는 휴대 전화기를 언제 샀니?
  A: 한 달 전에 샀어.
③ Q: 그는 어제 어디 갔었니?
  A: 그는 우리 오빠였어.
④ Q: 너희 아버지는 왜 화가 나셨었니?
  A: 내가 숙제를 안 했어.
⑤ Q: 그녀의 생일은 언제였니?
  A: 지난 주말이었어.

**16** 주어가 3인칭 단수이고 과거 시제 부정문이므로 was not 또는 wasn't를 쓸 수 있는데, 주어진 칸이 두 칸이니 was not을 써야 한다.

**17** 일반동사 과거 시제 의문문이고 '공부하다'는 뜻의 동사는 study이므로 빈칸에 각각 Did와 study를 써야 한다.

**18** 일반동사 과거 시제 부정문인데 빈칸이 두 개이므로 did not get을 쓸 수 없고 didn't get을 써야 한다.

**19** '누구'를 묻는 의문사인 who를 써서 의문문을 만들어야 한다. 또한 who가 주어 역할을 하고 있기 때문에 did 같은 말을 쓰지 않고 바로 동사를 쓴다. 따라서, 빈칸에는 who knew가 들어가야 한다.

**20** '몇 시'라고 지칭하기 때문에 when 대신 what time을 쓴다.

# II 동사 (3)

## Lesson 01 미래 시제 (1)

**p. 46**

ⓐ 1 buy      2 go
   3 do

ⓑ 1 won't eat      2 won't read
   3 won't go

Ⓐ 1 will clean      2 will teach
   3 will fix      4 will begin
   5 will be

Ⓑ 1 will not      2 will not
   3 won't study      4 won't visit
   5 will not go

**p. 48**

ⓒ 1 am      2 is
   3 are

ⓓ 1 not      2 isn't
   3 not

Ⓐ 1 am going      2 is going
   3 not going      4 is going
   5 isn't[is not] going

Ⓑ 1 will      2 are going
   3 will      4 won't
   5 aren't going

Ⓐ 1 He will write a diary
   2 They will go home
   3 It will rain
   4 She will watch a movie
   5 We will have breakfast

Ⓑ 1 will      2 is going to
   3 will not      4 isn't going to
   5 will do

Ⓒ 1 will rain      2 isn't going to
   3 are going to      4 won't go
   5 She's going to

Ⓓ 1 We aren't[are not] going to move to Seoul 또는 We're not going to move to Seoul
   2 I won't[will not] go to Bali 또는 I'll not go to Bali
   3 They won't[will not] play basketball 또는 They'll not play basketball
   4 I won't[will not] tell the story 또는 I'll not tell the story
   5 She isn't[is not] going to paint the wall 또는 She's not going to paint the wall

**p. 52**

(a) **1** Will    **2** Will
**3** Will

(b) **1** When will    **2** How long will
**3** Who will

**p. 53** **Check** up

Ⓐ **1** will    **2** will
**3** Will    **4** Will
**5** Will

Ⓑ **1** he won't
**2** I will
**3** we won't
**4** she will
**5** he won't

**p. 54**

(c) **1** Are    **2** Is
**3** Is

(d) **1** are, to    **2** are, to
**3** is, to

**p. 55** **Check** up

Ⓐ **1** Are, going
**2** is going
**3** Is, going

**4** is, going
**5** Are, going

Ⓑ **1** he is    **2** they aren't
**3** we are    **4** she is
**5** I'm not

**p. 56** **Build up**

Ⓐ **1** Where are    **2** they aren't
**3** What is    **4** I won't
**5** When will

Ⓑ **1** Will, learn
**2** Is, to rain
**3** Are, to arrive
**4** Will, have
**5** Is, to wash

Ⓒ **1** she isn't    **2** Yes, I
**3** they are    **4** No, won't
**5** I am

Ⓓ **1** How will they go there?
**2** Are you going to bake some cookies?
**3** Is he going to meet Ms. Clinton?
**4** When is she going to leave?
**5** How many times will you go there?

## Lesson 03 진행 시제 (1) 현재 진행

**p. 58**

ⓐ 1 am having     2 is studying
3 are watching

ⓑ 1 reads     2 is taking
3 is driving

**p. 59 Check up**

Ⓐ 1 is     2 I'm
3 is     4 is
5 is

Ⓑ 1 is having     2 keep
3 are watching     4 rains
5 is drinking

**p. 60**

ⓒ 1 not     2 not
3 not

ⓓ 1 is     2 Are
3 going

**p. 61 Check up**

Ⓐ 1 Is     2 Are
3 isn't     4 are
5 aren't

Ⓑ 1 is, dancing     2 am not swimming
3 Is, raining     4 isn't reading
5 is, cooking

**p. 62 Build up**

Ⓐ 1 is singing     2 is dancing
3 are swimming     4 I'm not
5 is not drinking

Ⓑ 1 is run → is running
2 are playing → is playing
3 is eating → are eating
4 aren't studieing → aren't[are not] studying
5 Do they → Are they

Ⓒ 1 I'm doing my homework
2 Hyeon-a is exercising
3 Yeon-u isn't reading a book
4 Is your brother sleeping
5 Why is Claudia skating now

Ⓓ 1 He is brushing his teeth
2 Is Tony reading a book
3 Why is Zio singing
4 Those geese aren't[are not] drinking water
5 They are going to the theater

**p. 64**

ⓐ 1 was raining　　2 was studying
3 were watching

ⓑ 1 swam　　2 was planting
3 was drawing

**p. 65 Check up**

Ⓐ 1 was　　2 was
3 was　　4 were
5 were

Ⓑ 1 were going
2 was making
3 was watching
4 was baking
5 were sleeping

**p. 66**

ⓒ 1 wasn't　　2 wasn't
3 weren't

ⓓ 1 was　　2 Were
3 was

**p. 67 Check up**

Ⓐ 1 Was　　2 weren't
3 wasn't　　4 were
5 was

Ⓑ 1 was, watching　　2 wasn't having
3 wasn't tidying　　4 were, playing
5 were, singing

**p. 68 Build up**

Ⓐ 1 was going　　2 was eating
3 was telling　　4 Were, traveling
5 wasn't making

Ⓑ 1 was jump → was jumping
2 Were Aaron → Was Aaron
3 didn't flying → weren't flying
4 weren't ride → weren't[were not] riding
5 did he doing → was he doing

Ⓒ 1 The phone wasn't ringing.
2 Was this rabbit washing its face?
3 Why were they crying?
4 She was reading a newspaper.
5 Who was opening the door?

Ⓓ 1 Bolt was running.
2 Andrea wasn't[was not] calling her.
3 Were Kei and June having dinner?
4 Where was the princess sleeping?
5 Yun-a was traveling by train.

**p. 70 Review Test**

| | | |
|---|---|---|
| **1** ② | **2** ④ | **3** ③ |
| **4** ⑤ | **5** ② | **6** ① |
| **7** ⑤ | **8** ④ | **9** ② |
| **10** ③ | **11** ③ | **12** ② |
| **13** ①, ⑤ | **14** ④ | **15** ②, ④ |

**16** was swimming
**17** will leave this Friday
**18** is playing the piano
**19** won't[will not] go to the island
**20** Was Sean studying math

**1** make에 -ing를 붙이면 making

**2** study에 -ing를 붙이면 studying

**3** now는 '지금'이라는 뜻의 부사이므로 지금 하고 있는 행동을 표현하는 현재 진행 시제를 써야 한다. we가 주어이므로 be 동사 are를 써서 are having

**4** '앨리슨은 그때 유럽 여행 중이었니?'라는 문장을 영어로 쓰면 과거 진행 시제를 써야 한다. 주어가 3인칭 단수이므로 Was를 쓴다.

**5** 미래 시제로 써야 하므로 빈칸에는 will 또는 is going to 가 와야 하는데, 보기에는 will이 없고 is going to만 있으므로 정답은 ②번

**6** 첫 문장은 주어가 we이므로 was는 쓸 수 없고, 두 번째 문장은 주어가 3인칭 단수이므로 were를 쓸 수 없다. 또한, 빈칸 뒤의 동사가 모두 ~ing형이므로 뒤에 동사원형이 나와야 하는 조동사 does도 쓸 수 없다.

**9** 해석은 다음과 같다.
① A: 너희 언니는 수학을 공부할 거니?
　 B: 응, 그래.
② A: 너는 그때 무엇을 사고 있었니?
　 B: 응, 그래.
③ A: 그는 어젯밤에 어디 가는 중이었니?
　 B: 그는 집에 가고 있었어.
④ A: 그들은 음악을 듣고 있니?
　 B: 아니, 그렇지 않아.
⑤ A: 너희는 축구를 하는 중이었니?
　 B: 응, 그래.

**10** '나는 사진을 찍고 있어.'라는 말에 대한 질문은 지금 하고 있는 일을 묻는 것이므로 정답은 ③번

**11** be동사 다음에 동사 원형을 쓸 수 없다.

**12** A: '애쉴리는 무얼 하고 있니?'
선택 보기의 해석은 다음과 같다.
① 그녀는 숙제를 하고 있다.

② 그녀는 서울에 갈 것이다.
③ 그녀는 영어를 공부하고 있다.
④ 그녀는 세수를 하고 있다.
⑤ 그녀는 책을 읽고 있다.

**13** ① She is reads a book. → She reads a book.
또는 She is reading a book.
⑤ Was he makes a doll? → Was he making a doll?
또는 Does he make a doll?, Did he make a doll?

**14** ④의 경우 go의 의미가 '가다'라는 동사의 의미로 쓰였지만, 나머지는 모두 미래 시제에 쓰는 be going to로 쓰였다.

**15** may는 의문문에서 you가 주어일 때 함께 쓰지 않고 Must you help me?는 '너는 나를 반드시 도와주어야 하니?'라는 의미인데 나를 돕는 것이 의무나 책임일 수는 없으므로 must 역시 공통으로 들어갈 수 없다.

**16** 과거에 하고 있었던 행동이기 때문에 'be동사 과거 + 동사 -ing' 형태여야 한다. 주어가 I이므로 am의 과거인 was를 쓰고, swim은 '단모음 + 단자음'형태이므로 m을 한 번 더 써서 swimming으로 만들어 준다. 즉, 답은 I was swimming 이다.

**17** 미래에 발생할 일이기 때문에 조동사 will을 사용해 대답한다. 조동사 뒤에서는 동사원형을 써야 하므로 동사 leave 뒤에 s를 붙이지 않도록 주의한다. 답은 He will leave this Friday이다.

**18** 현재진행형의 형태는 'be동사 현재 + 동사-ing'다. she는 be동사 is를 사용해야 하고, play는 playing으로 바꾼다. 답은 She is playing the piano이다.

**19** not은 조동사 will의 뒤에 온다. 따라서 They won't[will not] go to the island가 답이다.

**20** 주어와 동사의 위치를 바꿔 문장의 가장 앞에 be동사를 놓는다. 'be동사 과거 + 주어 + 동사-ing ~?'의 형태가 되어야 하므로 답은 Was Sean studying math이다.

# III 형용사와 부사

## Lesson 01 형용사의 비교급

**p. 76**

ⓐ **1** hotter  **2** shorter

ⓑ **1** busier 더 바쁜  **2** lazier 더 게으른
**3** heavier 더 무거운

**p. 77** *Check up*

Ⓐ **1** bigger  **2** colder
**3** heavier  **4** easier
**5** younger  **6** healthier
**7** older  **8** hotter
**9** happier  **10** taller

Ⓑ **1** shorter  **2** stronger
**3** colder  **4** taller
**5** heavier

**p. 78**

ⓒ **1** more diligent 더 부지런한
**2** more careful 더 조심스러운
**3** more expensive 더 비싼

ⓓ **1** more  **2** better
**3** worse

**p. 79** *Check up*

Ⓐ **1** more beautiful  **2** more exciting
**3** more delicious  **4** better
**5** less  **6** more interesting
**7** more famous  **8** more
**9** worse  **10** more useful

Ⓑ **1** better  **2** more
**3** more famous  **4** worse
**5** more useful

**p. 80** *Build up*

Ⓐ **1** heavier 더 무거운  **2** worse 더 나쁜
**3** good 좋은  **4** more 더 많은
**5** difficult 어려운  **6** shyer 더 수줍은

Ⓑ **1** hoter → hotter
**2** largier → larger
**3** gooder → better
**4** more young → younger
**5** expensiver → more expensive

Ⓒ **1** colder
**2** fatter
**3** more exciting
**4** bigger
**5** heavier

Ⓓ **1** longer than
**2** faster than
**3** more famous than
**4** heavier than

## Lesson 02 부사의 비교급

**p. 82**

ⓐ **1** longer     **2** faster

ⓑ **1** earlier     **2** earlier

**p. 83 Check up**

Ⓐ
**1** faster     **2** later
**3** longer     **4** thicker
**5** earlier     **6** thinner
**7** harder     **8** wider

Ⓑ
**1** earlier     **2** harder
**3** thicker     **4** wider
**5** higher

**p. 84**

ⓒ **1** more beautifully 더 아름답게
**2** more slowly 더 천천히
**3** more heavily 더 무겁게

ⓓ **1** less     **2** more

**p. 85 Check up**

Ⓐ
**1** worse     **2** more largely
**3** more shyly     **4** more softly
**5** less     **6** more quickly
**7** more slowly     **8** more
**9** more loudly     **10** better

Ⓑ
**1** more quickly     **2** less
**3** more carefully     **4** more loudly
**5** more

**p. 86 Build up**

Ⓐ
**1** worse 더 나쁘게
**2** better 더 잘
**3** earlier 더 일찍
**4** much 많이
**5** fast 빠르게 / 빨리
**6** more loudly (소리가) 더 크게

Ⓑ
**1** high → higher
**2** strongly → more strongly
**3** weller → better
**4** mucher → more
**5** more early → earlier

Ⓒ
**1** more     **2** more carefully
**3** faster     **4** less
**5** harder

Ⓓ
**1** earlier than
**2** later than
**3** more than
**4** less than

**p. 88**

(a) **1** shortest  **2** biggest

(b) **1** the healthiest 가장 건강한
   **2** the laziest 가장 게으른
   **3** the prettiest 가장 귀여운

**p. 89** *Check up*

A **1** biggest  **2** coldest
  **3** heaviest  **4** easiest
  **5** youngest  **6** healthiest
  **7** oldest  **8** hottest
  **9** happiest  **10** tallest

B **1** the shortest
  **2** the smartest
  **3** the biggest
  **4** the easiest
  **5** the hardest

**p. 90**

(c) **1** the most dangerous
   **2** the most careful
   **3** the most expensive
   **4** the most familiar

(d) **1** most  **2** farthest / furthest
   **3** least

**p. 91** *Check up*

A **1** the most beautiful
  **2** the most exciting
  **3** the most delicious
  **4** the best
  **5** the least

**6** the farthest / furthest
**7** the most famous
**8** the most
**9** the worst
**10** the most useful

B **1** the best
  **2** the most famous
  **3** the most interesting
  **4** the most
  **5** the most delicious

**p. 92** *Build up*

A **1** the heaviest 가장 무거운
  **2** the worst 가장 나쁜
  **3** the best 가장 좋은
  **4** many (수가) 많은
  **5** the most difficult 가장 어려운
  **6** shy 수줍은

B **1** coldest → the coldest
  **2** the thinst → the thinnest
  **3** the farst → the farthest / furthest
  **4** expensivest → the most expensive
  **5** the lessest → the least

C **1** the cutest
  **2** the most handsome
  **3** the largest
  **4** the most
  **5** the ugliest

D **1** I will be the best singer in Korea.
  **2** Who carried the heaviest box?
  **3** Which dog is the smartest?
  **4** She was the happiest woman.
  **5** Can I have the thinnest bread?

## Lesson 04 부사의 최상급

### p. 94

ⓐ 1 hardest      2 latest
3 highest

ⓑ 1 earliest      2 fastest
3 earliest

### p. 95 Check up

A 1 the fastest      2 the latest
3 the longest      4 the thickest
5 the earliest      6 the thinnest
7 the hardest      8 the widest

B 1 the fastest      2 the thinnest
3 the earliest      4 the highest
5 the latest

### p. 96

ⓒ 1 the most beautifully 가장 아름답게
2 the most carefully 가장 조심스럽게
3 the most heavily 가장 무겁게

ⓓ 1 least      2 worst
3 farthest

### p. 97 Check up

A 1 the worst      2 the most largely
3 the most shyly      4 the most softly
5 the least      6 the most quickly
7 the most widely      8 the most
9 the most loudly      10 the best

B 1 the most slowly
2 the least
3 the most softly
4 the best
5 the most loudly

### p. 98 Build up

ⓐ 1 well 잘
2 the worst 가장 나쁘게
3 the most 가장 많이
4 the earliest 가장 일찍
5 fast 빠르게 / 빨리
6 the lowest 가장 낮게

ⓑ 1 the most high → the highest
2 the most strong → the most strongly
3 the worsest → the worst
4 the most early → the earliest
5 the most latest → the latest

ⓒ 1 the most
2 the earliest
3 the most busily
4 the hardest
5 the latest

ⓓ 1 John speaks English the best in my class
2 Who cut the grass the most quickly
3 I'm skiing the most slowly
4 Who made a snowman the most beautifully
5 This penguin took care of its baby the best

### p. 100 Review Test

| | | |
|---|---|---|
| **1** ④ | **2** ④ | **3** ④ |
| **4** ⑤ | **5** ④ | **6** ③ |
| **7** ①, ③ | **8** ① | **9** ⑤ |
| **10** ① | **11** ④ | **12** ① |
| **13** ② | **14** ① | **15** ⑤ |

16 a bigger city than
17 The most koalas
18 run the fastest
19 the highest score
20 ran farther than

**1** thin은 「단모음 + 단자음」으로 끝나는 1음절 단어이므로 어미를 붙일 때 doubling을 해야 한다. thin의 비교급은 thinner

**2** ④를 제외한 나머지 단어의 최상급은 다음과 같다.
① the most quickly
② the most
③ the earliest
⑤ the worst

**3** ④를 제외한 나머지 단어의 비교급과 최상급은 다음과 같다.
① wise - wiser - the wisest
② famous - more famous - the most famous
③ good - better - the best
⑤ young - younger - the youngest

**4** 예문 해석: 마이크는 제시보다 키가 크다.

**5** ④를 제외한 나머지를 바르게 쓰면 다음과 같다.
① the shortest boy
② the hottest weather
③ the ugliest apple
⑤ the heaviest bat

**6** Which book is the interestingest? → Which book is the most interesting?

**7** ①과 ③을 제외한 나머지를 바르게 쓰면 다음과 같다.
② This book is heavier than that book.
④ Emily sings the best in my class.
⑤ They will go to the highest mountain in the world.

**8** 제시카는 우리 학교에서 제일 키가 큰 소녀이다. – 최상급 표현 앞에는 the를 붙인다.
헬렌은 개가 한 마리 있다. 나는 그 개를 아주 많이 좋아한다. – 앞에서 한 번 언급한 대상을 다시 언급할 때 the를 붙인다.

**9** ⑤ He usually gets up the earliest in his family.

**10** long의 최상급을 찾는 문제이므로 정답은 ①번

**11** 새미는 오늘 나보다 일찍 집을 나섰다. – I 앞에 다른 말 없이 최상급 표현을 쓸 수 없다. 이 문제는 비교급을 찾아야 한다. early의 바른 비교급 표현은 earlier이고 비교하는 대상이 있으므로 than을 붙인다.

**12** 이 시계는 이 가게에서 제일 비싸다. expensive는 3음절이므로 비교급과 최상급을 만들 때 more, the most를 붙인다.

**15** ① 유리는 크리스털보다 무겁다.
② 티파니는 제시카보다 무겁다.
③ 유리가 제일 무겁다.
④ 제시카가 제일 가볍다.
⑤ 크리스털은 제시카보다 가볍다.

**16** '~보다 ~한'이라는 비교급(형용사)의 의미를 나타내고 있으므로, '비교급(er)~than' 구문을 사용하여 'a bigger city than'으로 쓴다.

**17** '가장 ~한'이라는 최상급(형용사)의 의미를 나타내고 있으므로, 'the + 최상급(-est)' 표현을 사용한다. 단, many의 최상급은 the most로 변하는 불규칙 변화임에 유의한다.

**18** '가장 ~하게'라는 최상급(부사)의 의미를 나타내고 있으므로, 'the + 최상급(-est)' 표현을 사용하여 'the fastest'로 쓴다.

**19** '가장 ~한'이라는 최상급(형용사)의 의미를 나타내고 있으므로, 'the + 최상급(-est)' 표현을 사용하여 'the highest'로 쓴다.

**20** '~보다 ~하게'라는 비교급(부사)의 의미를 나타내고 있으므로, '비교급(er) + than' 구문을 사용한다. 단, far의 비교급은 farther로 변하는 불규칙 변화임에 유의하여 farther than을 쓴다.

# IV 전치사

Answer Key

## Lesson 01 장소를 나타내는 전치사

**p. 106**

ⓐ
**1** in
**2** on
**3** under

ⓑ
**1** between **2** next to
**3** between **4** next to

**p. 107 Check up**

A
**1** in **2** under
**3** on **4** next to
**5** between **6** under
**7** in **8** next to

B
**1** 부엌에(서) **2** 탁자 아래에(서)
**3** 교실 안에(서) **4** 내 옆에(서)
**5** 학교와 공원 사이에(서)

**p. 108**

ⓒ
**1** in front of **2** behind
**3** in front of **4** behind

ⓓ
**1** at **2** near
**3** at **4** near

**p. 109 Check up**

A
**1** in front of **2** near
**3** near **4** behind
**5** at **6** at
**7** behind **8** in front of

B
**1** 공항에서 **2** 식당에서
**3** 건물 뒤에서 **4** 공항 근처에서
**5** 병원 앞에서

**p. 110 Build up**

A
**1** next to **2** in front of
**3** behind **4** near
**5** at **6** under
**7** on **8** between

B
**1** in front of → near
**2** behind → in
**3** at → next to
**4** in → on
**5** on → under

C
**1** in front of the hospital
**2** next to your mother
**3** behind the bus
**4** between two cities

D
**1** Jen met Tom at the bus stop.
**2** Did you see the old tree near the station?
**3** Sally is studying in the library.
**4** He sat behind the man.
**5** I found my glasses on the desk.

**p. 112**

ⓐ **1** on **2** in
**3** at

ⓑ **1** for **2** during
**3** for

**p. 113 Check up**

Ⓐ **1** in **2** for
**3** at **4** in
**5** on **6** on
**7** during **8** during

Ⓑ **1** 지난주 동안 **2** 이틀 동안
**3** 7월 1일에 **4** 아침에
**5** 일곱 시 (정각에)

**p. 114**

ⓒ **1** 점심 식사 후에 **2** 동트기 전에
**3** 두 시간 후에 **4** 한 달 전에

ⓓ **1** next **2** this
**3** next **4** last

**p. 115 Check up**

Ⓐ **1** next **2** after
**3** this **4** this
**5** last **6** before
**7** next **8** after

Ⓑ **1** 3년 전에 **2** 다음 일요일에
**3** 점심 식사 후에 **4** 작년에
**5** 오늘 아침에

**p. 116 Build up**

Ⓐ **1** in **2** this
**3** at **4** during
**5** last **6** next
**7** for **8** after

Ⓑ **1** before → after **2** this → last
**3** during → for **4** this → next
**5** last → before

Ⓒ **1** this morning
**2** next Wednesday
**3** in 2008
**4** during winter vacation

Ⓓ **1** met his friend last Monday
**2** cleaned his room this morning
**3** come to the park after two hours
**4** go for a picnic on February 8th
**5** do my homework before dinner

# Lesson 03 방향을 나타내는 전치사

## p. 118

ⓐ **1** to **2** from
**3** from

ⓑ **1** out of **2** into
**3** out of

## p. 119 Check up

Ⓐ **1** from, to **2** from
**3** into **4** out of
**5** to **6** from, to
**7** out of **8** into

Ⓑ **1** 브라질로 **2** 홍콩에서 방콕으로
**3** 강물 속으로 **4** 역 밖으로
**5** 어머니로부터

## p. 120

ⓒ **1** over **2** across
**3** over **4** across

ⓓ **1** up **2** down
**3** up **4** down

## p. 121 Check up

Ⓐ **1** over **2** across
**3** up **4** down
**5** over **6** across
**7** over **8** down

Ⓑ **1** 산 위로 **2** 이 도로를 가로질러
**3** 이 강 너머 **4** 구멍 아래로
**5** 지붕 위로

## p. 122 Build up

Ⓐ **1** to **2** across
**3** into **4** up
**5** out of **6** over
**7** down **8** from, to

Ⓑ **1** from → to
**2** to → from
**3** out of → into
**4** up → down
**5** over → across

Ⓒ **1** ran from home to the school
**2** go down this mountain
**3** go across this street
**4** came out of this house

Ⓓ **1** moved from Seoul to Cheongju
**2** went over[across] that bridge
**3** go across this town
**4** drop your hat down the bridge
**5** dropped the medicine into the water

**p. 124**

ⓐ 1 아프리카에 대해[대한]
2 2PM에 대해[대한]
3 내 생일 파티에 대해[대한]
4 자연에 대해[대한]

ⓑ 1 for　　　　2 like
3 like　　　　4 for

**p. 125 Check up**

Ⓐ 1 for　　　　2 about
3 like　　　　4 on
5 on

Ⓑ 1 한국 역사에 대한　　2 내 친구들을 위해
3 새처럼　　　　4 너희 아빠처럼
5 시험에 대해

**p. 126**

ⓒ 1 with　　　　2 of
3 with　　　　4 of

ⓓ 1 by　　　　2 by
3 with　　　　4 with

**p. 127 Check up**

Ⓐ 1 with　　　　2 by
3 of　　　　4 by
5 with

Ⓑ 1 전화로　　　　2 (그녀의) 아버지와 함께
3 파란(색) 펜으로　　4 일본의
5 손으로

**p. 128 Build up**

Ⓐ 1 by　　　　2 by
3 for　　　　4 with
5 by　　　　6 of
7 about　　　　8 on

Ⓑ 1 by → with　　　2 of → for
3 with → by / on　　4 with → by
5 on → of

Ⓒ 1 by train
2 with your family
3 on the World War I
4 about their wedding

Ⓓ 1 is going to the zoo with his parents
2 cooked for my family
3 is a musician of Germany
4 travel by bicycle
5 drew a picture with watercolor

**p. 130 Review Test**

| 1 ③ | 2 ① | 3 ⑤ |
| 4 ② | 5 ③ | 6 ③ |
| 7 ③ | 8 ④ | 9 ② |
| 10 ④ | 11 ① | 12 ② |
| 13 ⑤ | 14 ③ | 15 ③ |

16 in front of
17 for
18 next to
19 over
20 out of

# *Review Test* IV 해설

**1** '정오에' - at noon, '버스 정류장에서' - at the bus stop

**2** '겨울에' - in winter, '강에서' - in the river (수영을 강물 안에 들어가서 하기 때문에 전치사 in을 쓴다.)

**3** · 그 말들은 들판을 <u>가로질러</u> 달렸다.
· 너희 가족에 <u>대해</u> 얘기해 줄래?

**4** · 나는 나무 <u>위로</u> 올라갈 수 없다.
· 그 은행은 공원 <u>근처에</u> 있다.

**5** · 제레미는 기차로 여행을 했다.
· 소희는 크리스마스<u>에</u> 뉴욕에 있었다.

**6** ③ She brushed her teeth after dinner. 또는 She brushed her teeth before dinner.라고 쓰는 것이 적절하다. with dinner는 표현 자체가 성립되지 않는다.

**7** ① '~에 간다'는 표현을 할 때에는 전치사 with가 아닌 to를 쓴다.
② '버스 정류장'이라고 쓸 때에는 전치사 at을 쓴다.
④ '학교에 간다'라고 쓸 때에는 go to school을 쓴다.
⑤ between the post office and the station이라고 써야 한다.

**8** '버스를 타고' - by bus

**11** 첫 번째 문장은 '데니는 그의 친구들<u>과 함께</u> 축구를 했다.'라는 뜻이므로 '~와 함께'라는 의미의 전치사 with를 쓴다. 두 번째 문장은 '나는 색연필로 편지를 썼다.'라는 뜻이므로 색연필 (a colored pencil) 앞에 도구를 뜻하는 전치사 with를 쓴다.

**12** 연도 앞에는 시간을 나타내는 전치사 in을 쓴다.

**13** '~을 타고'라는 의미로 교통 수단과 함께 쓰는 전치사는 by 이다. 두 번째 문장은 '우리 집은 여기서 멀지 않다.'라는 뜻이므로 '~로부터'의 의미인 전치사 from을 쓴다.

**14** ③번의 with는 도구의 의미로 쓰였지만, 나머지는 '~와 함께'의 뜻으로 쓰였다.
① 그녀는 언니<u>와 함께</u> 학교에 다닌다.
② 크리스틴은 부모님<u>과 함께</u> 있니?
③ 그는 물감<u>으로</u> 그림을 그렸다.
④ 나는 어제 데니스<u>와 함께</u> 배드민턴을 쳤다.
⑤ 나는 친구들<u>과 함께</u> 그 영화를 봤다.

**15** ③번은 '~ 뒤에'라는 의미의 전치사 behind가 쓰였으므로 '그 개는 소파 뒤에 있다.'라고 해석해야 한다.

**16** '~ 앞에': in front of

**17** '~를 위해': for

**18** '~ 옆에': next to

**19** '~너머로': over

**20** '~ 밖으로': out of

# V 동명사와 부정사

## Lesson 01 동명사

**p. 136**

ⓐ 1 swimming 2 making
3 flying 4 tying

ⓑ 1 S 2 S
3 C

**p. 137 Check up**

A 1 말하는 것은 2 축구하는 것
3 책 읽는 것은 4 음악을 듣는 것은
5 영화 보는 것

B 1 singing 2 Traveling
3 making 4 Sitting
5 lying

**p. 138**

ⓒ 1 숙제하는 것을 2 설거지하는 것을
3 밤에 노래 부르는 것을

ⓓ 1 being 2 skating
3 helping

**p. 139 Check up**

A 1 야구하는 것을 2 요리하는 것을
3 스키 타는 것을 4 돕는 것을
5 웃는 것을

B 1 singing 2 playing
3 watching 4 meeting
5 studying

**p. 140 Build up**

A 1 smoked → smoking
2 learn → learning
3 draw → drawing
4 Play → Playing
5 collect → collecting

B 1 exercising regularly
2 riding a bicycle
3 Studying hard
4 playing chess

C 1 finish doing
2 liked making
3 doesn't like calling
4 building a castle
5 Eating too much
6 minded fishing

D 1 He is afraid of failing the exam
2 I enjoy dancing
3 Eating fruit makes me happy
4 Her hobby was playing with her dogs

## Lesson 02 부정사

**p. 142**

ⓐ 1 to read | 2 to stop
3 to cut | 4 to arrive
5 to bake | 6 to wash

ⓑ 1 To ride | 2 to get

**p. 143 Check up**

Ⓐ 1 To make | 2 To fish
3 to collect | 4 To play
5 to bake

Ⓑ 1 공부를 하는 것은 | 2 많은 책을 읽는 것은
3 먹는 것이었다 | 4 듣는 것은
5 축구를 하는 것이다

**p. 144**

ⓒ 1 to ride | 2 to grow

ⓓ 1 in order | 2 to meet

**p. 145 Check up**

Ⓐ 1 to sleep | 2 in order
3 to take | 4 to listen
5 to meet

Ⓑ 1 배우는 것을
2 만나기 위해
3 빼기 위해
4 되기 위해
5 훔치기 위해

**p. 146 Build up**

Ⓐ 1 to be | 2 to see
3 to buy | 4 to play
5 to eat

Ⓑ 1 to exercise regularly
2 to ride a bicycle
3 to have
4 order to be

Ⓒ 1 read ten books
2 make a doll
3 help the children
4 build a castle
5 eat too much
6 swim in the ocean

Ⓓ 1 She jumped to pick the apples.
2 I called him to meet him.
3 Do you study to be a doctor?
4 We go out to eat something.

**p. 148**

ⓐ **1** swimming  **2** working
 **3** running  **4** studying

ⓑ **1** to meet  **2** to move
 **3** to travel  **4** to leave

**p. 149** *Check up*

A  **1** driving  **2** to buy
 **3** studying  **4** to meet
 **5** to tell

B  **1** to ride → riding
 **2** finding → to find
 **3** to fight → fighting
 **4** to fly → flying
 **5** meeting → to meet

**p. 150**

ⓒ **1** go  **2** drive
 **3** sing

ⓓ **1** to see  **2** to go
 **3** coming

**p. 151** *Check up*

A  **1** to walk/walking
 **2** to discuss/discussing
 **3** to learn/learning
 **4** having
 **5** to watch/watching

B  **1** to meet → meeting
 **2** climb → to climb/climbing
 **3** study → to study/studying
 **4** having → to have
 **5** sing → to sing/singing

**p. 152** *Build up*

A  **1** buy → to buy
 **2** going → to go
 **3** dance → to dance/dancing
 **4** meeting → to meet
 **5** to eat → eating

B  **1** walking  **2** to take
 **3** to buy  **4** to study
 **5** meeting

C  **1** to be a singer
 **2** washing dishes
 **3** to find the necktie
 **4** to travel around the world
 **5** taking medicine

D  **1** I decided to change my bed
 **2** We enjoy dancing
 **3** She needed to buy a new car
 **4** They hate watching[to watch] a soccer game
 **5** Harry stopped chanting a spell

## Lesson 04 관용적 표현

**p. 154**

ⓐ 1 playing     2 skating
3 hiking

ⓑ 1 going     2 playing

**p. 155 Check up**

A
1 swimming     2 meeting
3 going     4 riding
5 camping

B
1 about going
2 about having
3 about going
4 about making
5 about continuing

**p. 156**

ⓒ 1 무엇을 살지     2 언제 떠날지
3 어디서 할지     4 어떻게 운전할지

ⓓ 1 to study     2 to make

**p. 157 Check up**

A
1 how to     2 It, to
3 when to     4 where to
5 It, to

B
1 It, to make     2 where to wait
3 what to buy     4 It, to sleep
5 who to believe

**p. 158 Build up**

ⓐ
1 how to     2 where to
3 when to     4 what to
5 where to     6 how to
7 who to     8 when to

ⓑ
1 how to skating → how to skate
2 finding → to find
3 That → It
4 decide → to decide
5 when having → when to have

ⓒ
1 when to leave
2 difficult to learn English
3 sad to say goodbye
4 where to go on a trip
5 what to write

ⓓ
1 John asked where to wait for him
2 It's not easy to meet a famous person
3 It was interesting to learn magic
4 I didn't know when to call Julie
5 They asked how to use a mirror

**p. 160 Review Test**

1 ④     2 ②     3 ①
4 ②, ④     5 ⑤     6 ④
7 ③     8 ④     9 ②
10 ④     11 ②     12 ③
13 ③     14 ④     15 ①
16 order to
17 go fishing
18 about going skating
19 to meet you
20 when to move

# *Review Test* Ⅴ 해설

**1** 제시문 해석: 그는 운전하는 것에 관심이 있다.
동사 원형, 일반동사 현재 3인칭 단수형, 과거형, 동명사, 부정사 중 전치사 in 뒤에 쓸 수 있는 것은 동명사가 유일하다.

**2** 제시문 해석: 그녀는 아이스하키하는 것을 즐겼다.(그녀는 아이스하키를 즐겨 했다.)
보기의 동사들 중 동명사를 목적어로 쓸 수 있는 것은 enjoyed 가 유일하다.

**3** 제시문 해석: 나는 한국어를 배울 필요가 있었다.
need는 부정사를 목적어로 쓰는 동사이다.

**4** which, why, whose는 부정사와 함께 쓰지 않는 의문사 들이다.

**5** '∼하러 가다'라는 표현은 「go + ∼ing」, '∼하는 법'은 「how + 부정사」

**6** ④ finish는 동명사를 목적어로 쓰는 동사이므로 to do는 doing이 되어야 한다.
예문 해석
① 중국어를 배우는 것은 쉽지 않다.
② 과학을 배우는 것은 재미있다.
③ 나는 이번 토요일에 낚시를 하러 갈 것이다.
⑤ 그녀는 그와 화해하려고 했다.
*make friends with ∼ again: ∼와 화해하다

**7** ① whose + 부정사는 쓰지 않는다.
② How about 뒤에는 동명사를 쓴다.
③ 그녀는 교사인 것을 자랑스럽게 여긴다.
④ like 뒤에는 부정사나 동명사를 쓴다.
⑤ want 뒤에는 부정사를 쓴다.
*be proud of: ∼을 자랑스러워 하다

**8** ① 창문 좀 열어도 괜찮을까?
② 그녀는 런던으로 이사를 하기로 결정했다.
③ 그는 그 질문에 대답하기를 회피했다.
④ 그 아이는 그날 밤 계속 울었다.: keep 뒤에는 동명사를 쓴다.
⑤ 초대해 줘서 고마워.

**9** want 뒤에 부정사를 쓰고, 만나고 싶은 것은 그녀가 아닌 '그'이므로 남성을 지칭하는 목적격 인칭 대명사 him을 써야

한다.

**11** 전치사 뒤에는 부정사를 쓸 수 없다.
① 내 취미는 동전을 모으는 것이다.
② 그는 춤을 잘 춘다.
③ 책을 읽는 것은 재미있다.
④ 나는 축구하는 것을 좋아한다.
⑤ 그들은 계속해서 피아노를 쳤다.

**12** 보기 중에서 부정사와 동명사를 동시에 목적어로 쓸 수 있는 동사는 began이 유일하다.

**13** '수영하러 가다'는 go swimming

**14** ① 축구하러 가자! = 축구하러 가는 건 어때?
② 영어를 배우는 것은 어렵지 않다. = 영어를 배우는 것은 어렵지 않다.
③ 나는 우유 마시는 것을 좋아한다. = 나는 우유 마시는 것을 좋아한다.
④ 다시 만나 반갑습니다. ≠ 다시 만나서 반가웠습니다.
⑤ 저녁을 먹는 게 어때? = 저녁 먹을까?

**15** 두 번째 문장에는 where를 써서 '어디로 차를 몰아야 할지'라고 쓸 수도 있지만, 첫 번째 문장에는 쓸 수 없다. why, when 역시 마찬가지이다. what은 둘 다 쓸 수 없다.

**16** ∼하기 위해: in order to

**18** What about + ∼ing, go + ∼ing

**19** '(지금) ∼하게 되어 좋다'는 표현은 「Nice + 부정사」를 쓴다. (「Nice + 동명사」는 '(지금까지) ∼해서 좋았다'라는 표현이다.)

**20** '언제 ∼할지'라는 표현은 「when + 부정사」를 쓴다.

# 문장의 확장

## Lesson 01 it, there

### p. 166

ⓐ **1** summer     **2** Sunday
**3** five o'clock     **4** October 7th

ⓑ **1** 춥다     **2** 어두웠다
**3** 5마일이었다

### p. 167 Check up

Ⓐ **1** It's[It is] cloudy.
**2** It's[It is] five o'clock.
**3** It was August 15th.
**4** It's[It is] Thursday.
**5** It's[It is] winter.
**6** It was April.
**7** It's[It is] two kilometers.
**8** It was sunny.

Ⓑ **1** 어두웠다     **2** 10시 30분이다
**3** 비가 왔다     **4** 50킬로미터이다
**5** 여름이다

### p. 168

ⓒ **1** a bath     **2** go to bed
**3** dinner

ⓓ **1** many flowers     **2** a glass
**3** much bread

### p. 169 Check up

Ⓐ **1** is     **2** for
**3** Are     **4** there
**5** to

Ⓑ **1** 잠자리에 들 시간
**2** 여기 펜 다섯 자루가 있어
**3** 저녁 먹을 시간
**4** 더 많은 금이 있었니
**5** 시험 볼 시간

### p. 170 Build up

Ⓐ **1** It was     **2** are there
**3** It is     **4** It's time
**5** Here was

Ⓑ **1** for go → to go
**2** There was → There were
**3** time to → time for
**4** Was there → Was it
**5** Here is → Here are

Ⓒ **1** It's time to get up.
**2** It is two ten now.
**3** Is here a bottle of water?
**4** Is it Wednesday tomorrow?
**5** There was a lion in the house.

Ⓓ **1** It's[It is] time for a snack.
**2** There is a new computer in the living room.
**3** Was there a bakery in front of the station?
**4** It was snowy yesterday.
**5** It's[It is] time to get back home now.

**p. 172**

ⓐ **1** Do      **2** Get
   **3** call

ⓑ **1** Don't      **2** Don't
   **3** Never

**p. 173 Check up**

Ⓐ **1** Be      **2** Don't
   **3** Never      **4** call
   **5** Drink      **6** Don't

Ⓑ **1** (내게) 말해 (줘)      **2** 솔직[정직]해라
   **3** 낚시하러 가지 마      **4** 절대 읽지 마
   **5** 이 스웨터를 입어 보지 마

**p. 174**

ⓒ **1** How      **2** How
   **3** How

ⓓ **1** What a      **2** What a
   **3** What

**p. 175 Check up**

Ⓐ **1** How      **2** What
   **3** How      **4** How
   **5** How      **6** What

Ⓑ **1** lazy these bears are
   **2** fast that horse is running
   **3** an exciting game
   **4** an expensive jacket he wears
   **5** useful this bag is

**p. 176 Build up**

Ⓐ **1** Don't[Do not] be    **2** Wash
   **3** Never come      **4** Exercise
   **5** Don't[Do not] be

Ⓑ **1** How heavy
   **2** What thick
   **3** How boring
   **4** What a hot
   **5** How well

Ⓒ **1** Plays → Play
   **2** heavy → a heavy
   **3** an exciting → exciting
   **4** Not eating → Don't[Do not] eat
   **5** is this tall tree → tall this tree is

Ⓓ **1** Drink some strawberry milk.
   **2** an old castle (it is)!
   **3** pretty Ga-in is!
   **4** Don't[Do not] be noisy in the restaurant.
   **5** big the birds are!

Lesson **03** 부정 의문문과 부가 의문문

**p. 178**

(a) **1** Didn't **2** isn't
**3** Won't

(b) **1** No **2** Yes

**p. 179 Check up**

A **1** Aren't **2** Weren't
**3** doesn't **4** Won't
**5** Didn't

B **1** Won't / Yes
**2** didn't / didn't
**3** Can't / No
**4** Aren't / I'm

**p. 180**

(c) **1** is **2** aren't
**3** can

(d) **1** shall we **2** will you
**3** will you

**p. 181 Check up**

A **1** does she **2** didn't you
**3** shall we **4** will he
**5** will you **6** will you
**7** did he **8** isn't she

B **1** isn't **2** can't
**3** Let's, we **4** will you
**5** wasn't, he

**p. 182 Build up**

A **1** Isn't **2** shall
**3** didn't **4** will
**5** Didn't **6** isn't

B **1** is he → isn't he
**2** did you → didn't you
**3** her family isn't → isn't her family
**4** Not is → Isn't
**5** Are penguins not → Aren't penguins

C **1** They aren't[are not] actors, are they?
**2** It is easy to learn Hangeul, isn't it?
**3** Doesn't your dog eat apples?
**4** Don't[Do not] come home late, will you?
**5** Why can't that bird fly?

D **1** No, they didn't.
**2** Who can't play the violin?
**3** Don't worry, will you?
**4** Yes, I did.

## p. 184

ⓐ **1** and　　　　**2** or

ⓑ **1** and　　　　**2** or

## p. 185 *Check up*

Ⓐ **1** and　　　　**2** or
　**3** but　　　　**4** and
　**5** or

Ⓑ **1** but I don't like him
　**2** and you will see Tom
　**3** or you will be late
　**4** some cheese and bananas
　**5** tacos or hamburgers

## p. 186

ⓒ **1** so　　　　**2** because

ⓓ **1** that　　　　**2** That

## p. 187 *Check up*

Ⓐ **1** so　　　　**2** that
　**3** because　　**4** that
　**5** because

Ⓑ **1** because John came back
　**2** that the girl is ten
　**3** so I turned on a light
　**4** that Jenny came here

## p. 188 *Build up*

Ⓐ **1** and　　　　**2** or
　**3** because　　**4** so
　**5** but　　　　**6** and

Ⓑ **1** Those → That
　**2** because → so
　**3** or → and
　**4** so → because
　**5** or → and

Ⓒ **1** (나는) 우산을 갖고 있지 않기 때문에
　**2** 그러면 (너는) 더 똑똑해질 거야
　**3** 치즈와 우유와 설탕 약간
　**4** 그녀가 요리하지 않았다는 것을
　**5** 그래서 나는 창문을 열었다

Ⓓ **1** short but strong
　**2** Get up early, or
　**3** by bus or by[on] foot
　**4** (that) her father left
　**5** because it was raining

## p. 190 *Review Test*

| **1** ③ | **2** ④ | **3** ① |
|---|---|---|
| **4** ⑤ | **5** ② | **6** ② |
| **7** ④ | **8** ③ | **9** ⑤ |
| **10** ④ | **11** ③ | **12** ② |
| **13** ③ | **14** ⑤ | **15** ① |

**16** so
**17** that
**18** because
**19** that
**20** or

# Review Test Ⅵ 해설

**1** short(키가 작은)과 strong(힘이 센)은 대조적인 의미이다. 일반적으로 키가 작은 사람이 힘이 셀 것이라고 생각하지 않기 때문에 '나는 키가 작지만 힘이 세다.'라고 표현하는 것이 자연스럽다.

**2** ① because 앞에는 콤마를 찍지 않으므로 because는 들어갈 수 없다.
④ '그는 늦게 일어났다.'와 '그는 다시 늦었다.'는 원인과 결과의 관계이므로 so를 써서 연결하는 것이 자연스럽다. – 그는 늦게 일어나서 또 다시 늦었다.

**3** '그녀는 학교에 가지 않았다.'와 '그녀는 아팠다.'는 결과와 원인의 관계이므로 because를 써서 연결하는 것이 자연스럽다. – 그녀는 아파서 학교에 가지 않았다.

**4** · 낸시와 티나는 좋은 친구 사이이다.
· 그는 어리지만 현명하다. – 어리면 현명하지 못 할 것이라는 생각이 일반적인데, '그'는 어림에도 불구하고 현명하다는 대조의 의미이므로 but을 써야 한다.

**5** · 약을 먹으면 곧 나아질 거야. – '~해라, 그러면'이라는 의미로 「명령문, and」
· 너는 빨강과 파랑 중 어떤 색을 원하니?

**6** ① '제이슨은 키가 크다'와 '폴은 키가 작다'는 반대의 의미이므로 but을 써서 연결하는 것이 맞다.
② beautiful(아름다운)과 lovely(사랑스러운)은 유사한 의미의 단어이므로 이 두 단어를 연결할 때에는 but이 아니라 and를 쓴다.

**7** · 나는 그가 수영을 잘할 수 있다는 것을 알고 있다.
· 저 어린 소년을 봐.
첫 번째 문장에는 명사절을 만드는 접속사 that을 쓰고, 두 번째 문장에는 '저 ~'라는 의미의 지시형용사 that을 써야 한다.

**8** · 나는 아파서 소풍을 가지 못했다.
· 눈이 많이 왔기 때문에 나는 방학을 즐기지 못했다.
앞 뒤 문장의 관계가 '결과'와 '원인'이므로 because를 써야 한다.

**9** 케빈은 농구를 잘한다고 했으므로 '또는 그는 야구를 잘한다, 그리고 그는 야구를 잘하지 않는다, 그래서 그는 야구를 잘한다, 그가 야구를 하지 않기 때문에' 등의 말은 어울리지 않는다.

농구를 잘하는데, 그와 대조적으로 야구는 잘하지 않는다는 표현이 적합하므로 정답은 ⑤번

**12** 다른 것은 전부 명사절을 만드는 접속사 that으로 쓰였지만, ②번의 that은 '저 ~'라는 의미의 지시 형용사이다.

**14** 접속사로 쓰인 that은 동사의 목적어 역할을 하는 절을 이끌 때에만 생략할 수 있다. ① ~ ④는 각각 think, hope, said의 목적어 역할을 하는 절 앞에 쓰여 생략이 가능한데, ⑤의 경우 '저 ~'라는 의미의 지시 형용사이다.

**15** ①은 원인과 결과의 순서이기 때문에 because를 so로 바꿔야 한다.
① 그는 아팠기 때문에 교회에 갈 수 없었다.
② 걱정하지 마, 알았지?
③ 그는 파티에 갔지만, 그의 (여)동생은 그렇지 않았다.
④ 그가 돌아올 것이라는 것은 분명하다.
⑤ 숨을 크게 들이쉬어 봐. 그러면 기분이 나아질 거야.

**16** 앞의 문장이 원인, 이유이고 뒷문장이 결과이면 뒷문장 앞에 '그래서'라는 뜻인 so를 써야 한다.

**17** 뒷문장을 명사절로 만들어 줄 수 있는 접속사 that을 써야 한다.

**18** 앞의 문장이 결과이고 뒷문장이 원인, 이유이므로 뒷문장 앞에 '~때문에'라는 뜻인 because를 써야 한다.

**19** 뒷문장을 명사절로 만들어 줄 수 있는 접속사 that이 필요하다.

**20** '~해라, 그렇지 않으면'이라는 의미로 「명령문, or~」을 쓴다.

# Memo